JN124682

PAST LIVES
「生まれ変わり」を科学する

バージニア大学医学部 客員教授
中部大学大学院 教授
大門正幸
Ohkado Masayuki

桜の花出版

まえがき

筆者が眼鏡をかけはじめたのは、小学校4年生の時です。それまで馴染んでいたはずの世界は、わずか2枚の薄いガラスを隔てただけで一変しました。事物の輪郭の際立ち、鮮明な立体感、微細な動き。自分の目の前にありながら知覚されることのなかった世界への気づきは新鮮な驚きでした。

成長とともに新たな知識を得、世界をこれまでとは違った視点から眺めるようになる度に、この印象的な体験のことを思い出しました。

また、知識という新たな眼鏡をかけることで世界が違って見えるだけでなく、その眼鏡が結ぶ像が歪んでいれば、それを通して見た世界も歪《いびつ》なものになってしまうことも知りました。ある眼鏡をかけている人にとってはこの上なく美しいものが、別の眼鏡をかけている人にとっては何でもないものに見え、また別の眼鏡をかけている人にとっては忌み嫌うべきものに見える。体験や学びを色濃く反映した眼鏡のおかげで、そんな見解の相違が生まれてしまっている。自らの目の前の眼鏡の存在に気づき、一度それを外して別の眼鏡をかけてみる。それぞれの眼鏡が見せてくれる世界を知り、その上でお気に入りの眼鏡を選ぶ。そんなことが自由にできたら、相互理解の進んだ、より調和の取れた世界が実現できるのではないか、そんなふうにも感じました。

本書で読者の方にかけていただく眼鏡が提供する人間観・世界観は「人間の意識（または心、魂）は肉体の死を超えて存続し、また別の肉体に宿る」というものです。

２０２１年の春、義父が旅立ちました。義父は年明けに体調を崩して入院し、その後徐々に病状が悪化していきました。長くは持たないかも知れない、そんな状況になった時、住み慣れた家で最期を迎えさせてやりたいとの家族みんなの思いで自宅での看取りを決めました。地域の医療従事者の方々に支えられながらの1週間、家族の一人一人が、義父との残された時間を、ゆっくりと過ごすことができました。筆者も、普段は恥ずかしくてとても口にできなかった感謝の言葉を様々な思い出話を織り交ぜながら、義父の魂に向かって語りかけ続けました。

そして、気働きの人であった義父らしく家族全員が揃う時間帯に、孫も含めた家族が見守る中、息を引き取りました。家族それぞれが、義父の手を握り、身体に触れ、感謝の言葉を投げかけ、その命のエネルギーを感じながらの臨終の時でした。

日本人にとって、かつては普通であった「自宅での幸せな看取り」を取り戻すべく懸命に活動していらっしゃる看取り士の柴田久美子さんは、看取りの場を「旅立つ人にとっては、愛する家族や友人に命のバトンをつなぐことができ、見送る人にとっては、魂のエネルギーを受け取ることができるという意味で、双方にとって喜びと幸せに満ちた尊い時間なのです」とおっしゃっていますが、義父の看取りは、この柴田さんの確信に満ちた言葉を実体験する場でもありました。

ところで、今でこそ、人間の意識が死後も存続し、人が生まれ変わることに確信を持っている筆者ですが、若い頃は「唯物論者」で、生まれ変わりなど信じていませんでした。

筆者は１９６３年、三重県の伊勢市に生まれ、両親と弟の４人家族という環境で育ちました。幼少期は、父親が買い与えてくれた多くの本や図鑑に囲まれ、生き物や自然・人体・宇宙の不思議などを解明し新たな知をもたらす「科学」に魅了された少年時代でした。

後年、霊的現象を「科学的手法」を用いて分析することになるのは、この時期に触れた科学に関する書物の影響が大きいように思います。その意味で、父親には心から感謝しています。

ただ、その父親が徹底した唯物論者でした。そのため、我が家では「魂」や「霊」といったものは、「非科学的」であると見做され、一切話題に上ることもなく、中学生の頃には、筆者自身も完全な「唯物論者」となっていました。

その唯物論者ぶりは、今思い返しても恥ずかしく、実に情けない限りです。

例えば、大学時代、「素晴らしいお坊さんと知り合いになった」と言う親友の強い勧めで、ある著名な僧侶の方と電話で話したのですが、話題が仏教で言う「輪廻転生《りんねてんしょう》」に及ぶと、強い反感が湧き、「そんな非科学的なこと、あるわけないじゃないですか！」と激しく否定してしまいました。

また、大学で教鞭を執っていた時のこと。ゼミの学生H君の「愛って何ですか？」という質問に対し、「愛とは生物が子孫を残すために生体に仕組まれたメカニズム」と答えていました。唯物論的・生物論的な観点からのみの答に、H君が絶句していたのが瞼に焼き付いています。

そんな筆者の転機は、今から20年以上前、妻の初めての出産に立ち会った時に訪れました。向こうの世界からやって来る崇高な命のエネルギーに圧倒され、それまで唯物論者であった筆者も、誕生の場が「この世」と「あの世」をつなぐ場であることを実感せざるを得ませんでした。長女の産声を聞いた瞬間、「人間は人知を超えた大いなる存在に護られ、生かされている！」と思わずにはいられませんでした。

筆者のそんな思いをさらに強めたのは、次々と訪れた近しい人たちの「死」でした。誕生を待ちわびていた娘さんを死産で亡くした友人。相次いで亡くなった教え子たち。特に衝撃を受けたのは、先の著名な僧侶を紹介してくれた大切な親友の死でした。親友は奥様と幼い娘さん二人を残し、38歳という若さであの世に旅立ちました。「パパはお星さまになったのよ」と奥様が娘さんたちに語りかけると、上の娘さんが「パパ、お空で寒くないかな?」と心配しているという話を聞き、この娘さんたちに対して、単なる慰めではなく、心の底から「パパはいつでも空から見守ってくれているよ」と伝えることができたなら、どんなに有意義なことだろうか、との思いを強くしました。

このような出来事を通して「生まれ変わり」や「死後の生命」に心惹かれた筆者は、専門である言語学で「異言《いげん》」の研究に情熱を注ぎ、その後、縁あって生まれ変わり研究の世界的拠点であるアメリカのバージニア大学医学部知覚研究所の客員教授として研究を重ねました。

さらに、拙著『なぜ人は生まれ、そして死ぬのか』で記したような様々な体験を積み、過去生(いわゆる前世)を語る子どもを中心とした多くの方々と接し、原因不明の恐怖症を持つ筆者の次女が過去生記憶を語るに及んで、「この世」と「あの世」のつながりは実体験として、また本書で紹介するような事実を通して、当たり前のものになっていました。

そんな筆者にとっても義父の看取りは、魂が到来し、また帰還する場としての「あの世」の存在を改めて実感させる出来事でした。

家族の一員として、肉体を持った状態の義父と接することができなくなったことは大きな悲しみですが、義父から受け取った命のバトンを次に手渡す時まで汚すことなく磨き続けていかなければならない、と気持ちを引き締める出来事でもありました。

また、筆者が義父の他界後に抱いた想いの一つは、

「今度生まれ変わった時は、どこで会えますかね？」

でした。

筆者の想いは、身内の死に直面した多くの方の持つ想いとは異なっているかも知れません。しかし、それは個人的な体験だけでなく、本書で紹介するような事実や科学的考察に裏付けられた想いでもあります。

「肉体の死が命の終わりだ」とお考えの方は、一度その眼鏡を外して虚心坦懐に本書で展開される世界を覗きみていただけたら、と思います。既にそのような世界観をお持ちの方にとっても、本書が提供する眼鏡が、これまで以上に細部や全体像を明確にお見せできるのではないか、と思います。それぞれのお立場から、本書をお楽しみいただけましたら幸いです。

令和三年九月

大門正幸

目次

第二章　「生まれ変わり」とは何か？

第三章　「生まれ変わり」研究はここから始まった

第五章　スティーブンソンが発掘した生まれ変わり事例　101

第六章　強力なアメリカの事例と事例強度尺度

※参考文献は、各章末に記載してあります。（編集部）

第一章　過去生記憶を語る日本の子どもたち

イギリスのお母さんに会いたい　トモ君の事例

「ニンニクを剥《む》きたい」

寝かしつけていたお母さんに向かって、３歳11カ月のトモ君が突然こう言いました。お母さんが「なんでそんなことしたいの？」と訊ねると、「トモ君って呼ばれる前にした事がある」との返事。続けてこんなことも言いました。

「トモ君って呼ばれる前は、イギリスのお料理屋さんの子どもやった」

「１９８８年８月９日に生まれてゲイリースって呼ばれてた。７階建ての建物に住んでた」

（トモ君は２０００年１月生まれ）

「前のトモ君は、45度くらいの熱が出て死んでしまった」

次の日、お母さんがトモ君にニンニクを見せると、普段は右利きのトモ君が、左手を使って器用に剥きはじめました。手際よく剥かれたニンニクは、山盛りになりました。

それまでにもお母さんが「不思議だな」と思っていたことはいくつかありました。

トモ君が1歳になる前、コマーシャルでAJINOMOTOという文字を見た時のことです。

「エー・ジェー・アイ…」教えたはずもないのに、ものすごいスピードでアルファベットを読んでいくトモ君に、お母さんはとても驚きました。

また、3歳になる少し前、テレビでカーペンターズの「トップ・オブ・ザ・ワールド」が流れると、教えたことなどないはずなのに、曲に合わせてとても上手に歌い始めました。

平仮名より先にアルファベットを覚えてしまい、3歳になる数カ月前から自分の描いた絵には「Tomo」とサインするようになりました。


トモ君のように、過去生（いわゆる前世）は別の人物だったと語り、生まれた環境から考えると不思議な振る舞いをする子どもが世界にはたくさんいます。アメリカ・バージニア大学の知覚研究所では、世界中のそのような子どもの調査を行い、その数は2600に上ります。

この章では、トモ君をはじめとする筆者が調査した日本人の子供たちの生まれ変わり事例を紹介しましょう。[1・2] また、バージニア大学では調査した事例を基に、コンピュータで検索可能なデータベースを構築しています。事例の全体像を見ていただくためにも本文中で随時、データベースを検索した結果を記すことにします。バージニア大学での研究、およびデータベースについて、詳しくは第三章をご覧ください。

さて、話をトモ君に戻しましょう。

「ニンニク事件」をきっかけに、トモ君は、「イギリスのトモ君」の話をするようになりました。

レストランを経営していた家ではチリコン・カーンを食べたことがあり、レッド・キドニーが入っていて辛かったことや家の向かいには「特別商店街」があって、日本の醤油を売っていた、という話をしました。これを聞いてお母さんは、外国に行ったこともなく、話題にしたこともないのに、どうして醤油が日本のものだということを知っているのだろうと驚きました。

ある夜、絵本を読んでいた時のことです。「イギリスのお母さんは、本を読んで『今日はここまで』の合図してくれた」と言って、おでこを軽く指で触れるしぐさをしました。どうやら、寝る前のキスのことを指しているようです。

ある日、ホームセンターで地球儀を見たトモ君は、イギリスの上の方を指して、「トモ君、この辺に住んでた」と言いました。お母さんがイギリスの地図を見せると、エジンバラを指して「えでぃんびあ」と発音しました。トモ君が住んでいたのは、イギリスのエジンバラのようです。それを裏付けるかのようにこんなことを言ったこともありました。

「2階建てのバス乗ったことがある」

「お金は『円』じゃなくて『パウンド（ポンド）』やった」

またある日のこと、「イギリスのトモ君はB型やった。弱くて運動とかできひんかって、やりたいことがいっぱいあった」と言ったので、お母さんが「どうしてトモ君はイギリスのトモ君を思い出すんかな？」と尋ねると、「イギリスのお母さんに会いたい」と涙ぐみました。

知らないはずのイギリスの「サウスオール列車事故」を語る

お母さんは、トモ君の不思議な話を否定することなく耳を傾けました。しかし、お父さんは「ありえないこと」と全く無関心でした。

ところが、トモ君が４歳７カ月の時のこと、そんなお父さんの態度を一変させる出来事が起こりました。家族で観ていたテレビでＪＲの脱線事故のニュースが流れた時、それを見たトモ君がこう言ったのです。

「イギリスでもサウスオールで列車事故があったよ。テレビで『事故です。事故です』と言ってて、列車同士でぶつかって、火も出た。８人死んだ」

あまりにも具体的な話だったので、お父さんがインターネットで調べたところ、英語のページにSouthall Rail Crash（サウスオール列車事故）が見つかりました。

記事によると、１９９７年9月19日にロンドン西方のサウスオールで列車同士が衝突した事故で、７人が死亡し、１３９人が重軽傷を負っていました。事故が起こったのはトモ君が誕生する2年以上も前です。外国の、それも聞いたことのない場所の列車事故。トモ君が知っているはずはありません。トモ君はイギリスのトモ君について、「１９９７年の10月24日から25日の間に死んだ」と語っていますが、それは列車事故から約1カ月後になります。

過去生のイギリスのお母さんを探しに

「トモ君の話は本当かも知れない」と感じ始めたお父さんは、「イギリスに連れて行けば、本当にイギリスのトモ君の家が見つかるのではないか」と考えました。しかし、多忙な中、4歳児をイギリスまで連れて行くのは容易ではありません。結局、実現したのは3年後、トモ君が7歳6カ月の時でした。弟が小さかったため、お父さんとの二人旅となりました。

トモ君とお父さんは、エジンバラのレストランやエジンバラの中心であるウェーバリー駅から1駅目のへイマーケット駅の醤油を売っているアジア系の店などを廻りました。エジンバラのいくつかのレストランが、チリコン・カーンを出すことは分かりましたが、イギリスのトモ君の家は見つかりませんでした。イギリスの家が見つからなかったのは残念でしたが、トモ君にとってはとても大きな意味があったようです。それ以降はイギリスへの想いが吹っ切れたのか、急速にイギリスの話をしなくなっていきました。

トモ君のその後

筆者がトモ君に話を聞いたのは2010年7月、トモ君が10歳の時です。お母様の日記には、トモ君の発言が克明に記録されていましたが、既にかなりの部分は忘れてしまったようでした。それでも、「イギリスのお母さんの顔はしっかり覚えている」「大人になったらイギリスのお母さんを探しに行く」と力説し、トモ君の胸中にはかつての母親への深い想いがあることを感じさせられました。

そんなトモ君でしたが、中学生になってからは「イギリスの話をしたことは全く覚えていない。むしろ、どうしてそんな話をしたのか、自分の脳がどうなっているのか研究してみたい」と話すようになりました。現在は完全な「日本人」として、気象学の研究に勤《いそ》しんでいます。

【データベースの分析】　利き手の相違

右利きのトモ君が、ニンニクを剥くときだけ左利きになったのは、過去生の人格が左利きだったからなのかも知れません。データベースには現在生の人物と過去生の人物の利き手が記録されている事例があり、検索すると、以下のようになります。過去生と現在の生（現在生）で利き手が違う場合、「右利き→左利き」より、「左利き→右利き」のパターンの方が多いようです。

過去生と現在生の利き手の相違

		現在生		合計
		右利き	左利き	
過去生	右利き	20	1	21
	左利き	11	11	22
合計		31	12	

女性としてインドに生まれたのは失敗　アカネちゃんの事例

「あの印《しるし》はインドのことを忘れないようにお空の女神さんがつけた」

そう語るのは5歳のアカネちゃん。(3) 生まれた時から額にあった大きな楕円形の母斑《ぼはん》（あざ）についての発言です。インド人女性がつけるビンディにそっくりな母斑は、3歳の時にお母さんの意向でレーザー治療で除去してもらいましたが、その時もアカネちゃんは、「インドにいる時からず～っと嫌だったんだよね～」と発言しています。

2005年6月生まれのアカネちゃんがインドの話をし始めたのは、3歳の終わり頃でした。なかなかスムーズに言葉を発しないアカネちゃんのことを心配したお母さんが、電話で知人に相談をしました。電話の後、アカネちゃんは、たどたどしい言葉で、次のように抗議しました。

「インドで英語を話していた」

「難しい言葉も話していた」

「ママのお腹に入ったら使えなくなった」

「ママに英語を教えてもらいたいのに、（ママが）少ししか話せなくて困っている」

「仕方なく日本語を覚えたので、下手なのは仕方ない」

「インド人だった⁉」発言には戸惑ったものの、お母さんには腑に落ちることがありました。アカネちゃんが2歳の頃、英語による保育が売り物の保育園に見学に行ったことがありました。園での担当は日本人女性、赤毛の白人女性、恰幅《かっぷく》のいい黒人女性の3人でした。15人ほどいた見学児童のほとんどは外国人女性を恐がり、特に黒人女性には誰も近づこうとしませんでした。ところが、アカネちゃんだけは黒人女性のところに行き、楽しそうに遊んでもらっていました。お母さんにとってはとても印象的な出来事でした。

その後、「自分も昔は黒かったので、黒い人が好き」という趣旨の発言をしたり、インド料理店のインド人（ネパール人の可能性もあり）に「素敵」と好意的な発言をするのを聞いて、不思議な子だな、と気になっていました。

また、お母さんがお風呂上がりに頭にタオルを巻くのを見て、「ダメ〜！」と諫《いさ》めたことがありました。タオルを巻いていいのは男だけなのだそうです。

そんな下地があったため、「昔インド人だった」という発言は、ある意味、腑に落ちるものだったのです。

その後、アカネちゃんは家族についても詳しく語りました。

「私の名前はラディ、5人家族の末っ子」

「お父さんはライ・ヘイズ、コンピュータの仕事をしていた」

「お母さんはタイア、テレビに出たこともある綺麗な人」

「兄はニッキ、姉はライヤ」

「リスクライという場所に住んでいた」

「家はピンク色で、三角の旗が立っていた」

過去生のアカネちゃんが死んだ理由

アカネちゃんは小さい時からものすごく火を怖がりました。レストランの入り口に篝火《かがりび》が燃えているのを見て、怖がって入店を拒否しました。ディズニーシーに連れて行った時も、夜のショーで上がった火柱を見て怯え、観劇を中断しなければなりませんでした。

3歳の終わり頃のことです。テレビで住宅火災のニュースを見たアカネちゃんが「ナケボ！ナケボ！」と言って大騒ぎしました。驚いたお母さんが理由を訊ねると、「火！」とだけ答えました。また、同じ頃、メガネの男性に対する嫌悪感も示しています。

火に対する恐怖症、メガネの男性に対する嫌悪感の理由が分かったのは、4歳になったばかりのアカネちゃんが過去生の自分の死因について話した時でした。


「お母さんを好きになったメガネをかけた男の人が、家に火を点けて火事になった」

「火事でお母さんも自分も死んだ」

「真っ黒になったお母さんを上から見た」

「泣いてる家族の姿も上から見た」


筆者が4人のインド人の研究者（いずれもヒンディー語話者）にアカネちゃんの発言について訊ねたところ、次のような回答でした。

「アカネちゃんの語った人名はいずれもインド人としてありうる」

「ピンク色の家は普通。三角の旗は宗教的な施設に多い。『リスクライ』と言ったのはヒンズー教の聖地である『リシケシュ』のことではないか」

「『ナケボ』は『やめて』を意味する『ナカロ』ではないか」

日本を選んで生まれてきた

アカネちゃんは、過去生において、何歳で亡くなったのか正確には語っていませんが、まだ幼かったことは間違いないようです。

アカネちゃんは「インドに生まれたのは失敗」と語っています。そして、「女の子が大切にされる日本を選んで生まれてきた」とも。そして、「私のところに来て、というママの声が聞こえた」とも語っています。

お母さんによれば、何としても娘が欲しい、と思っていたので、アカネちゃんを身籠《みごも》る少し前から「どうか私のところに女の子が生まれてきてください」と祈り続けていたそうです。

「娘は私の声を聞いて来てくれた」お母さんはそう信じています。

【データベースの分析】　過去生と現在生のどちらがいいか

インド人としての過去生記憶を語ったアカネちゃんは、女性としてインドに生まれたのは失敗だった、と語っていました。

過去生と現在生のどちらがいいか

現在生	過去生	どちらとも言えない	コメントできない	合計
103 (22.8%)	155 (34.4%)	128 (28.4%)	65 (14.4%)	451

では、過去生記憶を持つ当事者たちは一般的にどのように考えているのでしょうか。この点についてデータベースを検索してみた結果を前頁に示します。

過去生の方がよかった、という回答の方が若干多くなっていますが、現在生の方がいいという回答も相当数いて、一概にどちらがいい、とは言えないようです。

9・11同時多発テロ犠牲者の一人？　ユウ君の事例

その日、3歳のユウ君（2014年6月生まれ）は、お母さんと手をつないで歩いていました。道端にあった脱穀機らしき物を見てユウ君が、

「使い方知ってるよ」と言い出しました。お母さんが理由を訊ねると、

「前の前はね、お米やさんだったんだ」との返事。

「前の前」・・・お母さんには気になっていたことがありました。ユウ君は火災報知器と監視カメラにものすごく過敏で、どこに行っても必死で探すのです。また、火災報知器やそれに類した音を異常に怖がりました。そこで、次のように訊いてみました。

「じゃあ、『前』は何をやってたの？　火災報知器とか（監視）カメラとかよく探すけど…」

するとユウ君は、うつむいて悲しそうに言いました。

「僕は前、同じような二つの高いビルがあったんだけど、その中で、英語を話して、コンピュータを使って仕事をしていたの。なんか、火事か事故かなんかあったみたいで、火災報知器が鳴っていて、逃げようとしていて、消防車が来ていたんだけど、もう一つ（もう一つのビル）で、大変な事故かなんかあって、消防士さんが来ていたみたいなんだけど間に合わなかったんだ。逃げようとしてたけど、その後、ドーン！って、おっきな衝撃があって、僕は死んでしまったんだ」

ジェスチャーを交えて話すユウ君に対して、お母さんが、「そうなんだー　怖かったよね？　他には誰かいたの？　その高いビルの何階にいたの？」と訊くと「怖かった。他にも誰か居たけど、よく覚えていない」

そして、少し間を置いて「１００階」と答えました。

お母さんの頭には一瞬２００１年9月11日にテロの標的となったワールドトレードセンターのツインタワーのことが浮かびましたが、その時はツインタワーは70階から80階くらいだと思い込んでいたので「１００階もあるオフィスビルなんて、たぶんないと思うよ」という返事をしたため、ビルの会話はそこで終わりました。

ツインタワーには本当に100階があった

お母さんにとって、ユウ君の「100階」という発言はとても気になるものでした。なぜなら、ユウ君は1から10までの数字を数えるのもあやしい状態だったからです。そんなユウ君が明確に「100」という数字を発したことは驚きでした。そこで、周りの人たちに「100という数字を教えていないか」と訊ねましたが、教えた人は誰もいませんでした。それどころか、ユウ君自身も「100」という数字は認識できなくなっているようでした。

もしかして…。そう思ってワールドトレードセンターのことをインターネットで調べてみると、ツインタワーは110階建てだったことが分かりました。

「もう一つで大変な事故かなんかあって…」

「その後、ドーン！って、おっきな衝撃があって…」

9・11の同時多発テロ事件で標的の一つとなったツインタワーでは、まず北タワーにアメリカン航空11便が激突し、その17分後、南タワーにユナイテッド航空175便が激突しています。もしユウ君がこの事件のことを話していたのだとすれば、ユウ君は2機目が衝突した南タワーにいた、ということになります。もしユウ君が100階で働いていたのだとしたら、当時南タワーの92階と98階〜105階にあった保険会社エーオン（Aon）に勤務していたということでしょう。

そう考えると、お母さんがユウ君と接していて不思議に思っていた次のような多くのことが腑に落ちました。

・小さい頃からとても大人っぽい感じがしたこと。
・1歳の頃、「ママ」と呼び始めたが、日本語の「ママ」というよりは英語の「Mom」という感じに近かったこと。
・「だめ」「だめよ」と注意しても全然聞かないのに「ストップ！」と注意するとやめたこと。
・3歳になった頃、外で英語の歌を聴くと、とても嬉しそうにしていたこと。
・どこに行っても、消火器や監視カメラがないか熱心に確認していたこと。
・火災報知器の音を異常に怖がったこと。

ユウ君は詳しいことは語らず、またお母さんもあえて訊ねることをしなかったので、ユウ君が実在の人物の話をしていたのかの確認はできません。しかし、発言内容や行動を考えると、ひょっとしたらユウ君は、2001年9月11日、テロの犠牲になったAonの社員176人のうちの一人だったのかも知れません。

子どもが悪夢を見る時の対処法

ユウ君は赤ちゃんの頃から全然寝ない子でした。10分程度ですぐ目が覚める。長く寝ても30分程度。夜泣きも激しく、ずっと抱っこしていないといけない状態が続きました。

また、1歳くらいの時には「ぎゃっ！」と言って飛び起きたりすることもありました。ユウ君によれば、小さい頃は同じ夢しか見ておらず、3歳になって過去生記憶の話をしてから、他の夢も見るようになったとのことです。そして、この頃から夜泣きをすることが無くなっていきました。

過去生記憶を語る子どもは、悪夢に悩まされる、という場合が少なくありません。これは、過去生での最後の状況が意識に蘇ってくるためだと考えられます。

そんな時にはやさしく子どもに寄り添いながら、子どもを怖がらせた出来事はもう終わったことであり、今は安全な場所にいることを伝えてあげることが効果的なようです。過去生記憶が次第に薄れていくにつれて、辛い死の場面の記憶も薄れていくのが通常ですが、親の理解と声掛けが、そのプロセスを促進する助けになると考えられます。

【データベースの分析】 過去生の人物が特定されている割合

知覚研究所では、子どもが語る過去生の人物が特定できた場合、その事例を「既決例」と呼びます。一方、トモ君やアカネちゃん、ユウ君の事例のように、過去生の人物が特定できていない事例は「未決例」と呼んでいます。

「未決例」という呼び名は、該当する人物が存在することを前提としているわけではありません。中には子どもが想像で作り出した話が含まれている場合があるかも知れません。

逆に、今後過去生の人物が特定できる可能性もあります。両者の区別は実質上不可能なので、一括して「未決例」と呼ぶことにしています。もっとも「未決例」の大部分は「既決例」と同じような特徴を持つので、該当者は存在するが見つかっていないだけ、という推定が妥当のように思われます。

研究所のデータベースでは、筆者が検索した時点で入力が完了していた2030例のうち1468例が「既決例」、547例が「未決例」となっています。残りの15例は、該当人物がいるように見えるが確信が持てない事例です。

7割強の事例で過去生の人物が特定されていることが分かります。

ツイッターでの前世のお母さん探し　サクタロウ君の事例

「今のお母さんの声、あんまりかわいくないよね」

寝かしつける母親のチエさんに対して、そう言ったのは、2012年8月生まれで、3歳のサクタロウ君でした。

驚いたチエさんが「え、私老けた?」と反応すると、

「ちがうちがう、サクちゃんが前のサクちゃんだったときのお母さん」と否定しました。そして「今度のサクちゃんは、バイクには乗らん」と続けました。

「前世のことを話しているのかも!?」そう感じたチエさんはサクタロウ君の話に耳を傾け続けました。その後、サクタロウ君が話した内容は次のようになります。

・お母さんは（今のお母さんと比べて）髪の毛が長かった。
・前のお母さんのことは「母さん」と呼んでいた。
・前のお母さんに「もう乗れる歳だから乗ったら?」と言われてバイクに乗っていた。
・バイクに乗っていて事故に遭った（事故に遭った年齢について、サクタロウ君が発言当時

17歳だった高校生の兄と同じくらいの時、と語っている。お兄さんは17歳にしては大柄で、大学生や社会人に間違えられることもあったことから、事故当時の年齢は高校生～20代と考えられる)。

・自分が道路を横断しようとしたら信号を無視して右側から来た車にぶつかられた。

・事故では右足を負傷し、救急車で大きな病院に運ばれた。

・事故の後にやって来たお母さんが泣いていた。

・病院で手術を受けたが、病院で亡くなった(ただし、それが直接の死因ではない)。

・乗っていたのは、赤色でスクータータイプのバイク(いわゆる原チャリ)。

・任天堂のファミコンが好きで、特にスーパーマリオが気に入っていた。

・お父さんは、お母さんみたいな看護師じゃなくてお医者さんでもなくて、お薬を作ったりするお仕事をしていた。

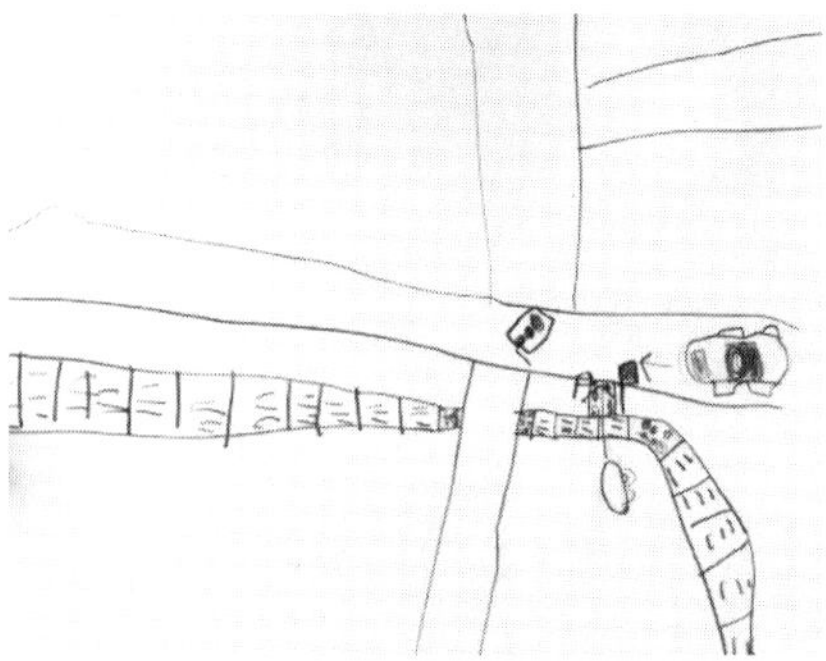

サクタロウ君が描いた事故の様子

・一人息子だった。

サクタロウ君は、前頁の絵を描いて、事故の様子を説明してくれました。絵では、右側に横断しようとするサクタロウ君のバイクと、信号を無視して突っ込んでくる自動車が描かれています。歩道には目の不自由な人のための誘導ブロックが見えます。

場所は日本。１９８３年に発売された初代ファミコンのコントローラー（左側に十字キーのついた横長のもの）を使っていた、と言います。

そして、「前のお母さんに会いたい」と真剣に訴えるサクタロウ君の気持ちと、息子を亡くしたであろう両親の気持ちを思うと、チエさんも「できることなら、サクタロウ君を前の両親に会わせて、かつての息子が元気でいることを知らせてあげたい」と思わずにはいられませんでした。

時の経過とともにサクタロウ君の記憶は薄れていくようです。あまり時間は残されていない、そう感じたチエさんは、２０２０年2月、異例の行動を取りました。

ツイッター上で情報提供を呼びかけたのです。

★前世のお母さんを探しています★

3歳より前世の記憶を語り始め、現在7歳になる息子が「前のお母さんに会いたい」と言っています。お母さんが今も悲しみの中にいるかもしれず、ご存命のうちに会わせてあげたいと思っています。

前世を信じていらっしゃらない方、こういった呼びかけ・ご依頼を不愉快に感じられる方もいらっしゃるかと存じます。そのような方々にはあらかじめお詫び申し上げます。また、その場合はどうぞ本件はスルーしていただきますよう、何卒よろしくお願い申し上げます。

本件に関し、お心当たりのある方、何かご存知で情報提供などご協力いただける方は、お手数ですが以下のメールアドレスより是非ともよろしくお願い申し上げます。・・・

息子が前世で亡くなったのは1990年代、との、記憶からの推定です。・・・

ダルビッシュ有投手からのリツイート

この投稿がメジャーリーガーのダルビッシュ有投手の目に留まり、リツイートされると瞬く間に拡散。チエさんの元に次々に情報が寄せられるようになりました。その中にはサクタロウ君の発言に近いかなり有力と思われる情報もありました。

「サクタロウの願いを叶えてあげられるかもしれない。前世のお母さんに、息子さんの『今』を伝えてあげられるかもしれない」

意を決したチエさんは、サクタロウ君と自分の気持ちを記した手紙を書き、サクタロウ君がかつて暮らしたと思われる場所を訪れることにしました。チエさんが家の近くまで行った時、お父さんと思しき男性と出会い、言葉を交わすことができました。しかし、ゆっくり話を聞いてもらうことや、手紙を受け取ってもらうことはできませんでした。

過去生の家族との再会を果たし、自分の記憶が真実だと確信した上で過去を乗り越えていく子どもがいます。

過去生の人物の実在が確認できず、自分の記憶に疑問を持ちながら、過去を乗り越えていく子どもがいます。

過去生の家族の存在は確認できたものの、再会は叶わず、過去生に郷愁の気持ちを抱きながらも過去を乗り越えていく子どもがいます。

温かい家庭に恵まれ、現在の生活を大いに楽しんでいるサクタロウ君は、三つ目のタイプの子どものようです。

悲しそうだったお母さん、一緒に来たお姉ちゃん

サクタロウ君は生まれてきた理由について、こう語っています。

「お母さんが悲しそうにしてたので、お母さんのところへ行ってあげようと思った」

チエさんにとっては腑に落ちる発言でした。サクタロウ君を身籠った頃、うつ状態で外に出られず毎日を暗い気持ちで過ごしていたのです。

生まれる前にいた場所はふわふわしていて、その場を仕切っている存在がいたようです。そして、その場所から宇宙船のようなものに乗ってチエさんの元にやって来たというサクタロウ君。

そんなサクタロウ君の右耳には副耳《ふくじ》があります。副耳とは、生まれつき耳の周りに生じるイボ状に突起したもので、サクタロウ君の場合は耳の穴の前にあります。その副耳について、4歳の頃、寝かしつけている時にサクタロウ君はこう語りました。

「(これは)いっしょに遊びたいと言ってついて来たお姉ちゃん」

これもチエさんにとっては驚きの発言でした。実はサクタロウ君には事情があって産まれてくることのできなかった姉がいたからです。

そういえば、サクタロウ君は「サッカーや野球はやりたくない」と言って、ピアノとバレエ

を習っています。ごっこ遊び、特にお店屋さんごっこが好きで、小学生の今でも女の子たちに「女の子みたいだね」と言われたり、女の子の個人的な相談にも乗ってあげることが多いようです。自分からは話はしないものの、今でも友達に「これなあに？」と副耳について訊かれると、

「これはお姉ちゃん」と説明しているようです。

サクタロウ君の発言は、「体の半分に妹が入ってる」と発言したある女の子のことを思い出させられます。その子はいつも妹と一緒に行動している、というのです。その子の妹と同じように、サクタロウ君のお姉さんもいつもサクタロウ君と一緒に行動しているのかも知れません。

【データベースの分析】大人っぽい態度が見られるか

過去生記憶を持つ子どもの多くは、大人っぽいという印象を与える子が多いようです（大人の過去生記憶を持っているのですから、むしろ当然と言えるかも知れません）。データベースで検索してみると、程度は違っても全体で75％ほどがそのような印象を与えていたことが分かります。

大人っぽい態度が見られるか

強く見られる	ある程度見られる	わずかに見られる	見られない	合計
114 (11.9%)	522 (54.6%)	82 (8.6%)	238 (24.9%)	956

戦艦大和に乗艦していた記憶　タケハル君の事例

「死なないから」

２０１２年5月生まれのタケハル君は、２歳の頃からお風呂に入る度にこんな不思議なことを言うようになりました。

少し話せるようになると、「お母さんより先に死なないから。悲しんでたくさん泣いたでしょ?」とも言いました。

タケハル君が、４歳の時に作った本の題名は「せんかんやまとわいきていた（戦艦大和は生きていた）」。

そして「死なない」「19歳で死んだ」「船で沈んだ」「雨のように爆弾が降ってきた」「水蒸気爆発」「零戦がかっこいい」「海にも特攻があった」「船がとっても広くて迷子になるんだ」「昼と夜の区別をあかりでしてたんだ」「僕は19歳で死んだのになんで生きてるんだろう?」などと発言するようになり、お母さんは「もしかして大和に乗艦していた前世の記憶を語っているのでは?」と思うようになりました。

タケハル君が「大和に会いたい、もう一回見たい、乗りたい!」と訴えたため、両親は呉にある大和ミュージアムに連れて行きました。ミュージアムにある全長26・3メートルにおよぶ10分の1スケールの大和の模型を見たタケハル君は「こんな小さいんじゃない！　偽物だ！」と怒って泣き出してしまいました。

タケハル君が語った過去生に関する発言や行動を列挙すると、次のようになります。

・保育園に「むさし」という名前の子がいて「同じクラスにむさし君がいた！　兄弟、兄弟だ！」と、とても喜んで話した。（戦艦武蔵を思い出してのことだと思われる。）
・幼稚園に入園した頃、入浴時に「月月火水木金金」と歌うことがあった。お母さんは最初、幼稚園で習った歌だと思っていたが、軍歌だったことを知り驚いた。
・お母さんの子どもに生まれる前に、他のところにいた。昭和元年12月生まれで19歳で死んだ（戦艦大和の沈没は昭和20（１９４５）年4月なので、数え年での計算と思われる）。
・大和の主砲は前に六つ、後ろに三つだった（お父さんへの発言。調べてみて実際に三連砲が前方に二つ（合計六）、後方に一つ（三つ）装備されていることを知って驚いた）。
・大和にも戦闘機が乗っていた（お父さんへの発言。これも調べてみて事実であることが判明し、驚いた）。
・アメリカの飛行機がいっぱい爆弾や魚雷を落としてきて、左側ばっかりやられて沈没した。

・主砲ではなく、左舷のやや後方にある大砲の一つを担当していた。
・銃撃を受けて甲板は血だらけになった。自分も怪我をした（理由は分からない）。
・アメリカは好きじゃない。
・前の母親は「お母さん」、現在の母親は「ママ」と呼ぶ。
・戦争に行くことはいやじゃなかった。やられたあと、水につかってとても冷たくて、「死ぬ」と思ったら、その時、初めて怖くなった。
・大和で最後におむすびを食べた。
・短髪でセーラー襟の服を着ていた。
・大和に乗る少し前に学校を卒業した。

大和の「沖縄海上特攻」で戦死した３０５６人の一人？

１９４５（昭和20）年４月７日、沖縄に向けて航行中の戦艦大和はアメリカ軍機の猛攻撃を受け、鹿児島県坊ノ岬沖で沈没しました。その時の乗組員３３３２人のうち、生還者はわずか２７６人でした。もしタケハル君がこの時のことを語っているのだとすれば、その記憶は戦死した３０５６名のうちの一人のものだったことになります。

海軍三校（兵学校、機関学校、経理学校）の校歌を聴いたタケハル君は「兵学校の歌に馴染みがある」と言いました。沖縄特攻直前に卒業した兵学校卒業生は第74期生ですが、その中で大和への配属が決まった者は「将来の士官候補を特攻作戦に参加させるのはよくない」という上層部の判断で出撃前に全員退艦となっています。したがって、最も若い卒業生は73期生であり、実際、タケハル君はそのうちの一人の写真を見て、「これが自分だと思う」と語っています。

さらに、ある軽巡洋艦の名前を挙げて「仲良しの三人のうちの一人が乗っていた」と語りましたが、実際73期生の一人がその艦の乗組員だったことが分かっています。

一方で、兵学校卒業生はセーラー服を着ることはないので、もしセーラー襟の服を着ていたという記憶が正しければ、タケハル君の記憶に該当するのは写真の人物ではないことになります。主砲ではない大砲を担当していた、という記憶も、兵学校卒業生の配属場所とは異なるように思われます。

「前のお母さんに会いたい」

「記憶の残っているうちに、前の自分の墓参りがしたい」

そう語るタケハル君の願いが叶うことを願うばかりです。

【データベースの分析】 父親と母親の態度の違い

子どもたちの過去生記憶について、一般的には、父親の方が否定的な態度を取ることが多いというのは、インタビューをしていて感じる印象です。子どもたちの中には「どうせ話しても聞いてくれないから、お父さんには話さない」という子もいます。データベースには、子どもの発言に対する父親の態度と母親の態度が、話し始めた時点と、最終的な時点（最後の面接）で９つのカテゴリーに分けて入力されています。それらのうち、肯定的なものと否定的なものの数値をあげると、以下のようになります。意外なことに、筆者の印象とは違って、否定的な態度を取る父親の割合はそれほど多くはないようです。

興味深いのは、父親の方は「肯定的」と答えた割合が増加しているのに対し、母親の方はほとんど変わっていない点です。これは、トモ君の父親のように、最初は否定的な態度を取っていたが、本人が知るはずもない事実を語ったことで、態度を変えた例が多いからなのかも知れません。父親と母親の違いが垣間見られる興味深いデータです。

子どもの発言に対する父親と母親の態度

	父親・最初	父親・最終	母親・最初	母親・最終
肯定的	170 (42.6%)	107 (50.0%)	229 (50.9%)	116 (50.2%)
否定的	229 (57.4%)	107 (50.0%)	221 (49.1%)	115 (49.8%)
合計	399	214	450	231

親が劇的に変わった　ナツキちゃんの事例

「何も知らない状態で生まれた赤ちゃんを導き、育てて行くのが親の務め」

多くの親が持っているそんな子育て観を、子どもの発言が劇的に変えてしまった、次はそのようなナツキちゃんの事例(4)です。

「ママはね、ナッちゃんが生まれて来る前からずっとママのところに来てくれるのを待ってたんだよ！」

幼稚園に行きたくない、と大泣きするナツキちゃんに対して、こう言って感情を爆発させて訴えたのは母親のマキコさん。3年6カ月前にナツキちゃんが生まれてからというもの、自分の思った通りに反応してくれないナツキちゃんに対して押さえ続けていた思いが溢れ出てしまいました。マキコさんの訴えに対するナツキちゃんの答えは全く予想外のものでした。

「ナッちゃんもね、空の雲の上からずっとママ見てたの。ママ大好きだよーって、ジャーンプしたの。それでね。ママのとこに来たの。でも1回戻ったんだ。2回来たんだよ！」

ナツキちゃんを身籠る前、マキコさんは二度流産していました。もちろんナツキちゃんがそんなことを知るはずがありません。

「1回戻ったんだよ。2回来たんだよ！」との言葉に、ナツキちゃんが心底自分を愛してくれていること、それ故に一度空に帰ってもまた戻ってきてくれたことを実感したマキコさんの目に涙が溢れました。そんなマキコさんに対して、ナツキちゃんはこう言いました。

「ママ泣かなくてもいいよ。ナツキがいるよ、大好きだよ」

その次の日、マキコさんはナツキちゃんが語った「空の雲の上」について訊ねてみると、こんな返事が返ってきました。

「雲の上にはね、コウちゃん（ナツキちゃんの弟）とコウちゃんがいて、一緒にママのとこ行こうね、ってゆってたの。あとね、もう一人女の子がいたよ」

マキコさんにとってはさらなる衝撃でした。ナツキちゃんの弟のコウちゃんが生まれるまでにはこんな経緯があったからです。

三つ子と生まれなかった二人

大学で政治学を学んだ後、マーケティングの分野で働き始めたマキコさんは、銀行員の夫と結婚後、シンガポールで生活をしていました。２回の流産の後、２０１０年10月に長女のナツキちゃんが誕生。ビジネスの分野で順調な業績を上げていたマキコさんは、出産・子育てに関しても明確なビジョンを持っていて、子どもは親がしつけ・教育すべきものであると信じていました。

ところが、母乳の出が悪かったり、感受性が強く一度泣き出すとなかなか泣き止まないナツキちゃんの対応に苦慮するなど、思い描いていた子育てのパターンに合わない毎日にイライラし、「母親失格」という思いすら抱くほどでした。

そんな2012年春、夫の仕事の関係で家族は日本に戻ることになりました。帰国後も仕事を続けようと考えたマキコさんは就職活動を行い、仕事が決まりかけた頃に予定外の妊娠が判明してしまったのです。馴染みのあるビジネスの世界に戻れると思っていたマキコさんは「なぜこのタイミングで！」と大きな衝撃を受けました。病院でエコー検査を受けた時（2012年5月28日）の医師の診断は「三つ子のようにも見えるが、自然妊娠で三つ子というのも珍しいし、もう少し様子をみましょう」というものでした。

その後、少し出血があり、何かおかしい、と感じていたマキコさんでしたが、次の検査（2012年6月4日）では双子との診断が下され、「一人は流産してしまったのかも知れない」との思いを抱きました。

ところが、検査の後に激しい出血があり、状況を重く見た医師は手術による中絶を提案しました。医師を説得し数日の猶予を得たマキコさんが、週明け（2012年6月11日）に検査を受けると「一人残っている」とのことで、マキコさんはその診断に喜ぶと同時に「もう一人

（あるいは二人）が流れてしまったのは妊娠が分かった時に『なぜこのタイミングで！』と思ってしまったためではないか」と罪の意識を抱き、残った一人は何としても無事に出産しなければと決意しました。不育症との診断を受けてしまったため、マキコさんは実家に戻り、ナツキちゃんの世話を両親に頼り、治療を受けながら妊娠期を過ごしました。そして２０１３年1月、長男のコウキ君が無事誕生したのでした。

ですから、ナツキちゃんが述べた「コウちゃんとコウちゃん」の一人は弟のコウちゃんを、もう一人は流産してしまった胎児を、「もう一人の女の子」は三つ子が疑われた時に存在していたであろう胎児を指しているように思われたのです。

この発言の3日後、ナツキちゃんは、雲の上の様子の絵を描きました。そこには二人のコウちゃんとナツキちゃん、そして女の子が描かれていました。また、雲の上には「かみさまとやくそくする場所」があって、その場所で、生まれた時に何をするか、ちゃんと約束できた人が母親のところに来ることができるのだと言いました。

それから19日後の6月4日、3歳6カ月のナツキちゃんはさらに次のような印象的な話をしています。

・生まれる前は「ニホンバラ」という場所で、死んだ人を助けていた。
・前世では病院で命を助けていた。人を助けるために生まれてきた。

・前世ではママのお母さんだった。自分の子ども（今のママ）が心配で心配で来た。
・弟のコウキ君が「ナッちゃん先にどうぞ」と言ったので、先に生まれてきた。

大きく変わった母マキコさんの人生観

このようなナツキちゃんの発言によって、マキコさんの子ども観・人生観は180度変わりました。肉体を超えた世界があって、子どもはその世界から目的を持って親の元にやって来る独立した魂だということ。親が何かを教え込む必要はなく、むしろ、子どもの方が自分に何かを教えようとしてくれているということ。そんな新たな人生観がマキコさんの中に生まれました。

この新たな人生観を強化する役割を果たしたのが、「胎内記憶」をテーマにした映画『かみさまとのやくそく』（荻久保則男監督、2013、新版は2016）でした。「おかあさんを選んで生まれてきた」「使命を持って、生まれてきた」と語る子どもたちの姿に接したマキコさんは、自分に何を伝えようとしているのだろう、という観点から子どもたちの言動に注意を払うようになったといいます。

明確な胎内記憶を有する子どもたちも、その多くは就学期頃を境に急激に記憶を失くしていくのが普通です。筆者はSkype（スカイプ）でのインタビューの際に、ナツキちゃんの記憶が薄れつつあることを示す場面に遭遇しました。雲の上の様子の絵を筆者に見せながら、雲の上でかみさまと約束してからこの世に生まれて来る、と説明してくれるナツキちゃんに、「じゃあナツキちゃんは何を約束して生まれて来たの？」と尋ねました。「ナツキはねぇ」と元気よく答えかけたナツキちゃんでしたが、はっとした表情になり、驚いた様子のまま小声で「忘れちゃった」と呟きました。それまでは「人を助けに来た」「命を救いに来た」「ママが心配で来た」などと元気よく語っていたナツキちゃんの記憶が、急激に消失しつつあることを垣間見る出来事でした。

霊的変容体験としての生まれ変わりの記憶

近年、臨死体験やお迎え体験、臨死共有体験、悟り、故人との邂逅《かいこう》、神秘体験、過去生記憶の想起といった、人生観を一変させるような現象を霊的変容体験（Spiritually Transformative Experience, STE）として包括的に記録・調査・研究しようという機運が高まっています。ナツキちゃんの発言によって人生観が一変したマキコさんの体験も、このような体験の一つとして、考えることができるでしょう。

【データベースの分析】
過去生記憶を持つ子どもの学校の成績

過去生記憶を持つ子どもの多くは、知的に優秀だということが知られています。アメリカ人の子どもを対象とした知能テスト（Stanford-Binet Intelligent Scale）を使った研究では、過去生記憶を持つ子どもはテストの４つのカテゴリーのいずれでも平均を上回る得点でしたが、「短期記憶」以外の３つ、「言語的推論」「抽象的／視覚的推論」「量的推論」の結果は優秀で、平均１００とされる合計点が１３９点という子が一人、１２０以上が４人いたと報告されています。[5]

データベースでは、学校の成績について、「非常に優秀」「優秀」「普通」「普通以下（未満）」の４段階で入力がなされています。検索の結果は以下の通りです。やはり、データベース上でも成績の優秀な子どもが多いようです。

過去生記憶を持つ子どもの学校の成績

非常に優秀	優秀	普通	普通以下（未満）	合計
44 (16.5%)	129 (48.3%)	66 (24.7%)	28 (10.5%)	267

(1) 大門正幸（２０１１）「『過去生の記憶』を持つ子供～日本人児童の事例～」『人体科学』20(1)、33～42頁。

(2) Ohkado, Masayuki (2013) "A Case of a Japanese Child with Past-Life Memories." *Journal of Scientific Exploration* 27(4), 625-636.

(3) 大門正幸（２０１２）「『過去生記憶』を持つ子供～インド人としての記憶を持つ日本人女児の事例～」『人体科学』21(1)、17～25頁。

(4) 大門正幸（２０１８）「子供が語る胎内記憶によって誘発された霊的変容体験」『人体科学』27、13～22頁。

(5) Tucker, Jim B. and F. Don Nidiffer (2014) "Psychological Evaluation of American Children Who Report Memories of Previous Lives." *Journal of Scientific Exploration*, 28(4), 583-594.

第二章　「生まれ変わり」とは何か？

多くの人が信じる「生まれ変わり」

多くの日本人にとっては、仏教やその源流となった古代インド思想を通して馴染みのある（あるいは、少なくともある世代までは馴染みのあった）「生まれ変わり」ですが、その考え自体は、古来世界中で見られます。

世界各地の文化を調査した人類学者たちによれば、生まれ変わりが受け入れられている割合は、調査対象とした社会のサンプルによって数値は異なりますが、低く見積もって34％、多い数値では60％にもおよびます(6)。

現在も世界各国で多くの人が生まれ変わりを信じています。国際社会調査プログラム（International Social Survey Programme、ISSP）の２００８年のデータによれば、「生まれ変わりは絶対ある」と回答した人と「生まれ変わりはおそらくある」と回答した人の数を合わせると、左の表のようになり、国によっては50％以上の人が生まれ変わりを信じています。

この調査には含まれていませんが、インドやネパールなどのヒンズー教国を対象にすれば、この数字はもっと上がると思われます。

順位	国	生まれ変わりはあると回答した割合（%）
1	台湾	59.8
2	フィリピン	52.1
3	メキシコ	45.6
4	南アフリカ	45.2
5	ドミニカ	43.9
6	チリ	43.4
7	日本	42.6
8	ラトビア	33.6
9	ウルグアイ	32.5
10	ポルトガル	32.5
11	アメリカ	31.3
12	オーストリア	30.9
13	スイス	28.2
14	韓国	27.3
15	アイルランド	27.1
16	スウェーデン	27.0
17	スロベニア	27.0

順位	国	生まれ変わりはあると回答した割合（%）
18	ニュージーランド	24.2
19	ロシア	23.9
20	オランダ	22.2
21	イギリス	21.6
22	ウクライナ	20.8
23	スペイン	20.0
24	ドイツ	19.4
25	クロアチア	19.0
26	スロバキア	18.9
27	フランス	17.7
28	デンマーク	17.4
29	フィンランド	16.5
30	ノルウェー	15.3
31	チェコ	15.2
32	ベルギー	12.5
33	キプロス	10.0

※データのバージョンの違いによるものなのか原因は不明ですが、同じISSPの調査データに基づいて竹倉史人氏が『輪廻転生』（2015）の中で挙げている数値は、筆者のものと若干異なっています。また、竹倉氏が挙げている「スリランカ」は、手元のデータでは調査対象国の中に記載されていません。トルコの数値については、質問の仕方に問題があり信用できない、ということを竹倉氏にご教示いただきましたので、割愛してあります。また、ISSP 2008の数値を他の三つの調査（RAMP 1999、EVS 1999、EVS 2008、調査国数は8～10とISSP 2008より少ない）の結果と比較したある研究によれば、最大20％ほどの食い違いがあるので、表の数値はその程度に変動する可能性があるもの、とご理解ください。

「生まれ変わり」の概念の類型

前述のように、「生まれ変わり」という概念自体は、古今東西広く見られるものです。しかし、「動物への生まれ変わりはあるのか」「業《ごう》（いわゆるカルマ）はあるのか」といった細部に目を向けると、実に多様な見方があります。実際に世界に見られる「生まれ変わり」概念の型に基づいてオベーセーカラは5つのタイプ[7]を、人類学者の竹倉史人氏は3つのタイプを認めていますが[8]、ここでは少し理論的に整理しておくことにしましょう。

「生まれ変わり」という概念の基本は、

「生き物には心・意識・魂などと呼ばれる肉体とは独立した部分があり、その部分は肉体が滅んだ後も消滅せず、また新たな肉体に宿る」

というものです。この概念は「再生」と呼ばれたり、「転生（てんしょう、てんせい）」とも呼ばれたりします。ラーメンに例えて言えば、基本となる麺に相当します。

この基本概念に他の意味合いが付け加えられて、別の用語で呼ばれることもあります。例えば、生死を無限に繰り返す「輪廻」という概念が付け加えられて「輪廻転生」と呼ばれたりします。ラーメンで言えば、具材としてチャーシューが付け加えられているので、「チャーシューメン」と呼ばれるようなものです。

では、基本的な概念に付け加えられる意味合い（ラーメンの具材）にはどのようなものがあるのでしょうか。世界中に見られる様々な生まれ変わりの概念を分析してみると、おおよそ次のような付加的な概念が挙げられます。

・付加概念１：生まれ変わる主体が同一性を持つかどうか
・付加概念２：種族を超えて生まれ変わるかどうか
・付加概念３：生まれ変わりに外的要因（例えば神的存在や因果応報）を想定するかどうか
・付加概念４：生まれ変わりを「生まれ変わる主体の成長の機会」と捉えるかどうか
・付加概念５：生まれ変わりに「終わり」はあるかどうか

それぞれについて、簡単に見ていきましょう。

生まれる主体が同一性を持つかどうか

この点については、私たちに馴染みのある仏教は大変やっかいな問題を提起しています。古代インドに起源を持ち、ヨガやヒンズー教につながる生まれ変わり思想では、生まれ変わる主体はアートマンと呼ばれる不変の自己であると考えます。

一方、同じインド生まれでもブッダの教えは大きく異なります。その根本教義の一つである「無我（アナッター）」の教えでは、あらゆる事象は現象として生成しているに過ぎず、自己も含め、不変の物は存在しない、要するに全てに実体はない、と説かれます。しかし、「生まれ変わり」も仏教の根本教義の一つであり、「実体のない主体が生まれ変わるとはどういうことなのか」という当然の疑問が生じます。ラーメンの例えで言えば、この「付加概念」は単なる「ラーメンの具」というよりは「麺」の成分を左右する、ひょっとしたら、「ラーメン」を「蕎麦」や「うどん」に変えてしまうほど大きなものと言っていいかも知れません。日本人にとって馴染み深い仏教と関わる事項なので説明を試みますが、そうでなければ、あえて言及せず避けて通りたいところです。

さて、ブッダは生まれ変わる主体を不変のアートマンではなく、「五蘊（ごうん）」であるとしました。「五蘊」は、肉体を指す「色（しき）」と精神作用を指す「受（じゅ）」「想（そう）」

「行（ぎょう）」「識（しき）」の五つの「蘊（うん）」＝「集まり」から成ります。

「色」：色かたちのあるもの、人間で言えば肉体
「受」：肉体的、生理的感覚、そこから生じる感情など
「想」：何かを心に浮かべる作用、その結果生まれたイメージ
「行」：心をある方向に向ける作用、その結果生まれる心のあり方
「識」：認識作用、認識したものを判断する作用

この五蘊が生まれ変わるイメージとして、筆者の知る限りでは竹倉史人氏が挙げている例えを用いた説明が最も理解しやすいので、ここではそれを引用させていただきます（文献(8)の94～96頁より引用）。

〈五蘊〉を5本の糸だと考えてみましょう。5本の糸は虚空をそよぎながら絡みあい、織られていきます。このとき、糸を織る人はいません。5本の糸は織られるものであると同時に織るものでもあります。
縦横に織りなされた5本の糸は、やがて一枚のタペストリーとなっていきます。この織物が

〈私〉です。５本の糸はそこにさまざまな図柄や文様を描きます。これが〈私〉の生涯です。

このとき、〈私〉は存在していますし、〈私の生涯〉もたしかに存在しています。しかしそれはあくまで5本の糸で織られたものであり、つまりは一時的に出現した〈パターン〉にすぎません。時間がたつと、タペストリーの糸はゆるみ、再びほどけていきます。これが〈私〉の死です。

しばらくすると、５本の糸は再び絡みあい、新しいタペストリーが織られていきます。これによってまた新しい〈私〉が誕生します。こうして、５本の糸は何度も離合集散を繰り返していきます。これが〈私〉の輪廻です。

さて、それでは最初に織られたタペストリーと、次に織られたタペストリーは果たして「同じもの」と言えるでしょうか？　それぞれの織られ方は異なっていますし、さらに図柄も異なっています。同じなのは、タペストリーを構成している5本の糸だけです。

しかし、前のタペストリーと新しいタペストリーをよく注意して観察してみると、あることに気づきます。まったく同じではないけれど、そこにはよく似た文様や図柄がいくつも見られるのです。

これまで何度となく織られてきたので、５本の糸に折れ癖のようなものがついているのです。そのせいで、新しく織られるタペストリーにも前のものとよく似た〈パターン〉が繰り返されているようです。この折れ癖と反復される〈パターン〉、これこそが〈業（カルマ）〉と呼ばれるものです。

とりあえず、仏教的な「不変的な主体の存在しない生まれ変わり」をイメージしていただけたのではないでしょうか。

「生まれ変わる主体」については、同一性は維持しながらも複数に分裂しうる、という視点も存在します。例えば、北米の先住民の間では一人の人物が複数の人物として生まれ変わることがある、と信じられています。これと関連して、同じ北米の先住民の間では、複数の魂が一つの肉体に宿ることも認めているグループがあります。

さらに、厳密には生まれ変わりとは言えないかも知れませんが、バリエーションの一つとして、「魂のグループ」という概念が存在します。信頼できる霊界通信の一つとして知られる『ジュリアからの手紙』の中で、霊界にいるジュリアは、「自己」とは車輪のようなものである、と語ります[9]。

自己の大元であるハブの部分は霊界にあり、我々は車輪の一つ一つのスポークで、スポークのあるものは地上にいて、あるものは霊界に留まっている。そして、それぞれのスポークが地上で十分学びを積み、車輪全体が調和の取れた状態になるまで生死を繰り返すのです。地上にいる多くのスポークはそのことに気付いていませんが、自分と異なるスポークの記憶にアクセスしてしまった場合、「過去生の記憶」と認知されるのではないか、と思われます。個々のスポークは独立の人格ではありますが、それは車輪というより大きな人格の一部だということです（※ただし、ジュリアは「自分には過去に地上で生きた記憶はないが、何度も生まれ変わるスポークもある」とも述べているので、個々のスポークの生まれ変わりもある、と認識されているようです）。

同様の見解は、心霊研究協会の創始者の一人であるフレデリック・マイヤーズがその死後に霊界から送ってきたとされる霊界通信の中でも述べられています。

種族を超えて生まれ変わるか

生き物は生前の行いによって「天道」「人間道」「修羅道」「畜生道」「餓鬼道」「地獄道」という六つの道のいずれかに転生するとする六道輪廻の教えを説く仏教では「人間から動物へ」あるいは「動物から人間へ」といった種を超えた生まれ変わりを認めています。

一方、例えばレバノンを中心としたイスラム教のドゥルーズ派の人たちは異なった種族間の生まれ変わりを認めません。それどころか、ドゥルーズ派の人たちはドゥルーズ派の間でしか生まれ変わらないと信じています。

生まれ変わりに外的要因（例えば神的存在や因果応報）を想定するか

プラトンの著作『パイドン』の中に登場するソクラテスによれば、「生まれ変わり」に関わるのは各人に割り当てられたダイモーン（神霊）です。すなわち、人が死ぬとダイモーンがその魂を「裁きの庭」に連れていき、裁きを受けた魂は冥府《めいふ》で裁きに応じた賞罰を受けます。その期間が終了すると、ダイモーンが魂をこの世に連れ戻す、というのです。

一方、ヒンズー教や仏教では、ダイモーンのような神的存在ではなく、生き物が生前に行った行為（カルマ）が生まれ変わりを引き起こすと考えられています。

生まれ変わりを「生まれ変わる主体の成長の機会」と捉えるか

プラトンが伝えるところによると、ソクラテスは人生の目的を「魂の世話をすること」であると捉えていて、哲学の目的もそれに資することであると考えていました。このことと、死後に生前の行いの裁きを受けると考えていたこと、生まれ変わりを肯定していたこと、とを合わせると、生まれ変わりを「魂の成長の機会」と考えていたらしいことが推測されます。

この推測を前面に打ち出したのが、スピリティズムの創始者であるフランス人のアラン・カルデック（1804-1869）です。英語圏を中心に広がったスピリチュアリズムでは、前述のマイヤーズの霊界通信のような例外を除いて、生まれ変わりが前面に出されることはありません。

一方、カルデックのスピリティズムでは、生まれ変わりは魂の成長を継続させる大前提になっています。スピリティズムの教義を要約したカルデックの言葉「生まれ、死に、再び生まれ、さらに進歩し続ける。それが法なのである」が示すように、魂の成長という永続的な過程を可能にするシステムとして生まれ変わりが位置付けられているのです。

生まれ変わりに「終わり」はあるか

仏教やヒンズー教、近代版生まれ変わり思想では、「生まれ変わり」に「終わり」を想定します。ただし、その捉え方は仏教、ヒンズー教と、近代版生まれ変わり思想では異なります。

この世に生きることを基本的に苦しみと捉える仏教やヒンズー教では、「生まれ変わり」の輪（輪廻）からの脱却（解脱）を目標とします。一方、この世を魂を成長させる、いわば「魂の学校」と捉える近代版生まれ変わり思想では、十分に成長を果たした魂は「卒業」となり地球上で肉体を持つことはなくなります。

また、『ジュリアからの手紙』にある「車輪全体が調和の状態になるまで、スポークは生死を繰り返す」という思想にも解脱の思想と通じるところがあります。

さて、以上見てきたような付加的な概念を考慮すると、それぞれの概念の有無によって「生まれ変わり」には32のパターン（2×2×2×2×2＝32）があることになります。

実際には、生まれ変わりを信じている人たちが、これらの付加概念全てについて、その有無を意識しているとは限りませんし、同じ概念を共有しているはずのグループ内でも、意見が一致しないことがあります。また、どこに視点を置くかによって、付加概念の有無の判断が異なってくる場合もあります。

例えば、生まれ変わりのシステムとしては「終わりはない」と信じていたとしても、遠い未来に地球の寿命が来て生命の維持が不可能になった時には、外的な要因で生まれ変わりのサイクルは終了せざるを得ません。このような場合に、生まれ変わりのシステムに注目して「終わりはない」と考えたとしても、究極的には「終わりはある」ということになるでしょう。

さらに、それぞれの概念の内容を細分類すれば（例えば「付加概念3」の「外的要因」を「ダイモーン」のような他者と「行為」のような自らの行いに再分類する）、バリエーションはさらに増えます。

このようなことから、32のパターンはあくまで理論的な可能性としてお考えください。付加概念のいくつかについては、「生まれ変わり現象」の実例を見る時に触れます。

(6) Matlock, James G. (1994) “Alternate-Generation Equivalence and the Recycling of Souls: Amerindian Rebirth in Global Perspective.” In: Antonia Mills and Richard Slobodin (eds.) *Amerindian Rebirth: Reincarnation Belief Among North American Indians and Inuit*. Toronto: University of Toronto Press, 263-283.

(7) Obeyesekere, Gananath (2002) *Imagining Karma: Ethical Transformation in Amerindian, Buddhist, and Greek Rebirth*. Berkeley and Los Angeles, CA: University of California Press.

(8) 竹倉史人（２０１５）『輪廻転生：〈私〉をつなぐ生まれ変わりの物語』東京：講談社。

(9) Stead, William T. (1914) *After Death: A Personal Narrative, New and Enlarged Edition of “Letters from Julia.”* New York: George H. Doran Company.

第三章 「生まれ変わり」研究はここから始まった

勝五郎の「生まれ変わり」物語

文政5（1822）年11月のある日のこと、多摩郡中野村（現在の東京都八王子市東中野）に生まれた8歳の勝五郎が、こんな話をしました。

「おら、前は程久保《ほどくぼ》の久兵衛さんて人の子だった。おっかあの名前はしづさんていった。おらが5歳の時、久兵衛さんが死んで、半四郎さんて人が新しいおっとうになって、おらを可愛がってくれた。でも次の年、おら6歳だったんだけど、疱瘡《ほうそう》にかかって死んじまった。それから3年経ってから、今のおっかあのお腹ん中に入って、もう一度生まれたんだ」

これを聞いた両親と祖母は驚きましたが、百姓仕事で忙しい毎日、勝五郎の話についてはそれ以上どうすることもなく、日々が過ぎて行きました。

さてその後、祖母つやと寝ていた勝五郎が、突然こんな話を始めました。

「4歳（今の3歳）くらいまではみんな覚えていたけど、それからはどんどん忘れていっちゃった。でも、疱瘡で死んだことは覚えてる。桶に入れられて、丘に埋められたのも覚えてる。地面に穴が空いてて、大人たちが桶をそこに落としたんだ。『ポン！』って落っこちた。その音もよく覚えてるよ。それでどうしてか分かんないけど、いつの間にか家に戻ってて、枕の上のところにいたんだ。

しばらくすると、おじいちゃんみたいな人がやって来て、おらをどっかに連れてった。誰なんだか、何してる人なんだかよく分かんない。歩いて行ったんだけど、なんだか空を飛んでるみたいな感じだった。夜でも昼でもなくて、いつもおひさまが照ってるような所だった。寒くも暑くもなかったし、腹も減らなかった。とっても遠くまで行ったような気がする。でも、かすかにだけど、ずっと、家のみんなの声が聞こえてた。おらに読んでくれてる念仏の声もね。家の人が仏壇の前にあったかいぼた餅を供えてくれたのも覚えてる。お供えから出てる湯気を吸い込んだのもね。おばあちゃん、仏様にあったかい食べ物をお供えするの、忘れちゃだめだよ。それから、お坊さんにもね。そうするのはとってもいいことだと思うんだ。

それから後は、おじいさんみたいな人がこの家に連れてきてくれたのを覚えてるだけだ。村への道を通ってここに来ると、その人はこの家を指して、言ったんだ。

『さあ、生まれ変わらないといけないよ。もう3年経ったんだから。この家に生まれるんだ。この家のおばあさんはとっても優しいから、お母さんのお腹に入って生まれるがいい』そう言うと、その人はどこかへ行ってしまったんだ。

しばらく玄関の柿の木の下にいて、それから家に入った。そしたら、誰かが、おっとうの稼ぎが少ないから、おっかあが江戸に働きに行かなきゃならねえって言うのが聞こえた。それを聞いて『この家はいやだ』って思って、3日の間、庭にいた。

3日目に、とにかくおっかあは江戸に行かなくていいって話になったから、その日に雨戸の節穴を通って家の中に入った。それからまた3日、かまどの横にいて、それからおっかあのお腹の中に入ったんだ。お腹の上の方にいたらおっかあが辛いかなと思って、横の方に寄って行ったこともよく覚えてるし、生まれた時、大変じゃなかったこともよく覚えてる。おばあちゃん、この話、おっとうとおっかあには話してもいいけど、他の人には絶対話しちゃダメだよ」

勝五郎、過去生の両親と再会

やがて勝五郎は「程久保に行きたい。程久保に行って、久兵衛さんの墓参りがしたい」と言い出し、翌年（文政6年、1823年）の11月20日、祖母つやが1里半（約5・9キロメートル）ほど離れた程久保村まで勝五郎を連れて行くことになりました。

二人が程久保村に到着すると、勝五郎は見知った場所のように「こっち、こっち」と祖母を引っ張って行き、ある家の前まで来ると「ここ、ここ」と言って、祖母を置き去りにしたまま家の中に入ってしまいました。祖母のつやは、そこにいた人に尋ねてみました。

「この家の主はどなたですか?」

「半四郎だよ」

「奥さんのお名前は?」

「しづ、だ」

「この家には藤蔵という子どもはいませんでしたか?」

「ああ、いたけど13年前に死んじまったね」

つやの目には涙が溢れて止まりませんでした。勝五郎の話は事実だったのです。

つやが半四郎の家の人たちに勝五郎の話をすると半四郎も妻のしづも大変驚き、涙を流して勝五郎を抱きしめ、「ああ、藤蔵の時よりずっと男前になったなぁ」と言いました。

少し落ち着いた勝五郎が「あの店の屋根、前は無かったよね? あそこの木も無かった」と言ったことが、その通りだったので、半四郎もしづも「ああ、やっぱり本物の藤蔵だ」と確信の思いを強くしたのでした。

勝五郎の「生まれ変わり」話が広まると、村人たちは勝五郎のことを「ほどくぼ小僧」と呼ぶようになり、あちこちから勝五郎を見ようと人が集まるようになりました。

勝五郎の話の重要性

勝五郎の「生まれ変わり」物語は、今から200年も前の出来事でありながら、信頼性の高い記録が少なくとも三つ残っています。

第一の記録は、若桜藩（鳥取藩の支藩）の元大名、池田定常（号は冠山）が中野村の勝五郎宅を訪れ記し、文政6（1823）年の3月に著した『勝五郎再生前生話』です。

第二の記録は、勝五郎の住む中野村を治めていた地頭、多門《おかど》伝八郎が書いた、上司への報告書です。調書には関係者が列挙され、勝五郎の語った内容が正確だったことなどが記されています。

第三の記録は、平田篤胤《あつたね》が源蔵と勝五郎から聞き取りをし、文政6（1823）年6月に著した『勝五郎再生記聞』です。

以上のことから、勝五郎の話は単なる伝説や伝承とは一線を画す信憑性の高い事例だと言えます。

なお、藤蔵の地元である日野市では2006年に日野市郷土資料館が中心となって勝五郎生まれ変わり物語探求調査団が結成され、藤蔵や勝五郎の子孫や縁者、地元の関係者を含む様々な方々が調査・研究を行っており、その成果は勝五郎生誕200年に当たる2015年、新発見の情報も盛り込んだ『ほどくぼ小僧勝五郎生まれ変わり物語 調査報告書』として日野市郷土資料館から出版されています。

勝五郎の話に魅せられたイアン・スティーブンソン

勝五郎の物語は、ラフカディオ・ハーン（小泉八雲）が1897年に発表した短編集 *Gleanings in Buddha-Fields*（『仏陀の国の落穂』）の中で紹介したことで、世界中に知られることとなりました。この勝五郎の話に魅せられた一人に、精神医学者のイアン・スティーブンソンがいました。スティーブンソンは、1957年、39歳という異例の若さで、バージニア大学医学部精神科の主任教授の任に就きました。スティーブンソンはこの時点で既に55本もの医学論文（22本は共著論文）を発表していた気鋭の研究者でした。

1950年代、スティーブンソンは人間を全体として理解したいとの想いから、医学文献に加えて、神智学や心霊現象研究の文献を順序立てて読み始めました。神智学については、精神分析学同様、科学的ではない、と判断せざるをえませんでしたが、心霊現象研究は違いました。

心霊現象研究は、心霊現象を次々に記録し厳密な研究を積み重ねていきます。著書としてまとめられた金字塔的成果として、亡くなった人が死の前後に親しい人の所に姿を見せる、

フレデリック・マイヤーズによる意識の構造

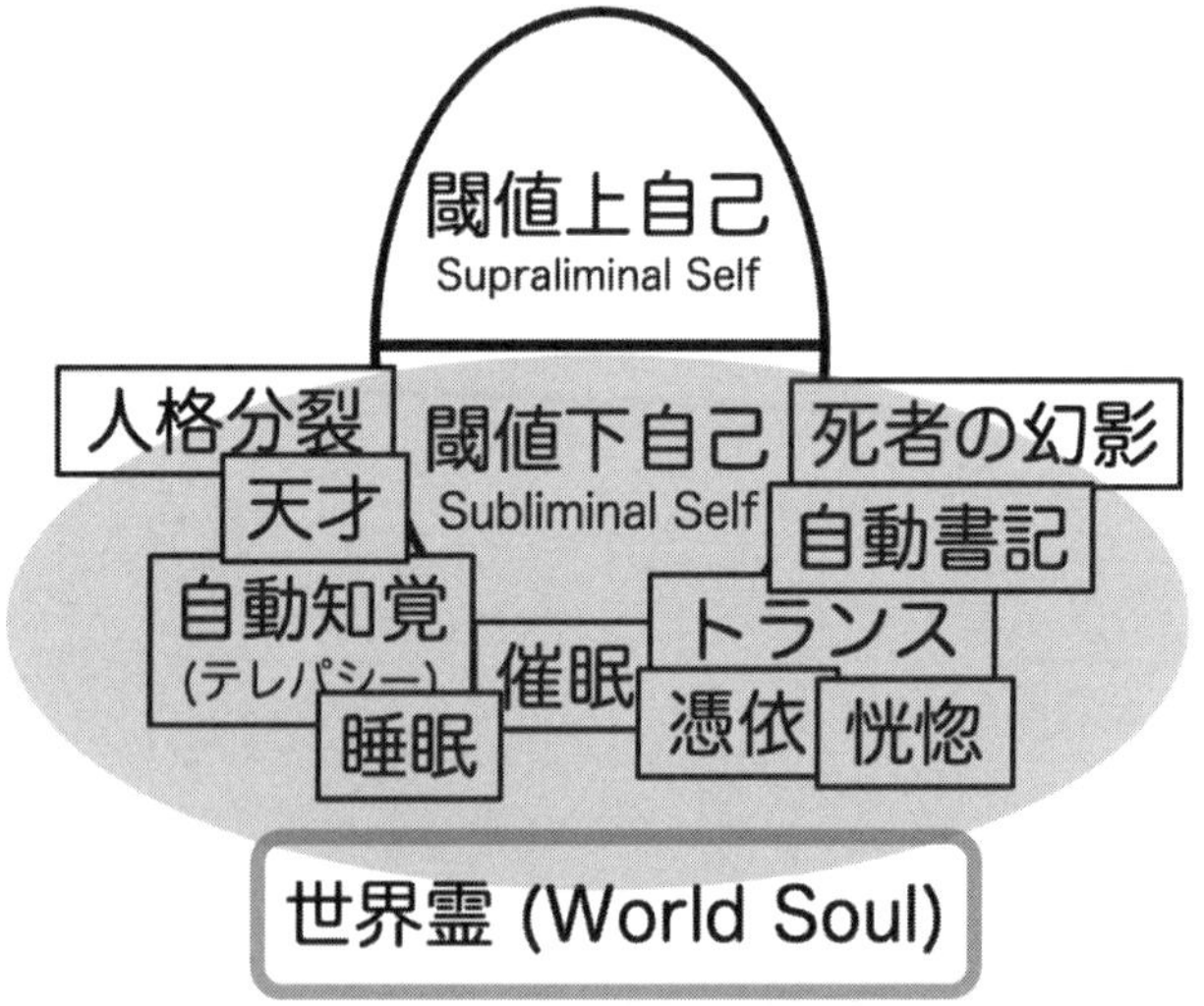

いわゆる「死に際の挨拶」体験を厳密に検証・記録した『生者の幻影』（*Phantasms of the Living*, 1886）や、フレデリック・マイヤーズによる『人間個性の肉体的死後の存続』（*Human Personalities and Its Survival of Bodily Death*, 1903）を挙げることができます。マイヤーズは、心霊現象研究協会の創設メンバーの一人で、今日よく使われる「テレパシー」という語を造った人物でもあります。

　マイヤーズは自己を「普段意識できる部分」と「普段は意識されない部分」の二つに分け、前者を「閾値《いきち》上自己」、後者を「閾値下自己」と呼びました。大雑把に言えば、現在の「顕在意識」と「潜在意識」に相当しますが、マイヤーズの「閾値下自己」は図に示すように「人格分裂」や「天才」「睡眠」「催眠」「自動知覚（テレパシー）」「死者の幻影（霊との邂逅）」「自動書記」「トランス」「憑依」「恍惚（エクスタシー）」など広範囲な現象と関わるもので、しかも世界にあまねく存在する「世界霊」とつながっている可能性さえ示唆されていました。

スティーブンソンの生まれ変わり現象研究開始

退行催眠によって過去生を思い出した事例が幅広く報じられ「生まれ変わり」が広く認知されるようになった1950年代後半、イアン・スティーブンソンが注目したのは、子どもの事例でした。心霊現象研究でも、また心霊現象研究に興味を持つ哲学者の間でも、生まれ変わりの可能性について議論されることはありましたが、この問題について系統立てて論じ、過去生記憶を語る子どもの重要性に着目したのは、スティーブンソンが最初でした。

この独創的な着想に基づき、スティーブンソンは「主張される過去生記憶による死後存続の証拠」というタイトルの論文を執筆し、アメリカ心霊研究協会が募集した懸賞に応募しました。論文では、天才的な能力や、霊媒が語る言葉、先天的な恐怖症やデジャブ体験など、生まれ変わりの証拠の可能性があると考えられてきた現象を列挙した後、より説得力のある証拠として、過去生記憶を語る子どもの事例を紹介しました。詳しく紹介された7例のうちの筆頭がハーンの著書から引用された勝五郎の事例であり、スティーブンソンに強い印象を与えたことを示唆しています。論文の最後で、スティーブンソンは、「霊媒による交信に関わる問題は、死者が今も生きていることを証明することだが、過去生記憶の保持と思われる現象に関わる問題は、現在生きている人物がかつて死んだことがあることを証明することであり、こちらの方が簡単かも知れない」と述べ、さらなる研究の必要性を訴えています。

そしてその後の調査結果も含め、20の有力な事例を集めた『生まれ変わりを示唆する20の事例』を出版しました[10]。

スティーブンソンは世界中から事例を集め続け、調査結果を多くの論文・著書として発表していきました。2007年、88歳で亡くなるまでに著書15冊と259本もの論文、膨大な「生まれ変わり」事例のファイルを残しました。

スティーブンソンの研究を継ぐ研究者たち

スティーブンソンの研究を目にして、この分野の研究に興味を持つ研究者が出てくるようになりました。生まれ変わり事例を調査し、学術論文として発表している中には、筆者の他に次のような研究者がいます。

サトワント・パスリチャ（インド国立衛生神経科学研究所）
エルランダー・ハラルドセン（アイスランド大学）
ユルゲン・カイル（タスマニア大学）
アントニア・ミルズ（北ブリティッシュ・コロンビア大学）
ジェームズ・マトロック（超心理学財団）
ジム・B・タッカー（バージニア大学、現在の知覚研究所所長）

科学の世界では、同じ現象が何度も観察される「再現性」が重要ですが、スティーブンソン以外の研究者たちが独自に調査し、スティーブンソンと同じような発見を行っていることはとても重要です。また、彼らの一部はスティーブンソンが調査した事例を再調査し、中心人物や情報提供者の証言に大きな食い違いがないことを確かめることで、スティーブンソンの調査を補強する役割も果たしています。

この他、「生まれ変わり」事例に関する学術論文は発表していないものの、スティーブンソンに援助を惜しまなかった研究協力者は数多くいます。スティーブンソンの著書を何冊も翻訳している笠原敏雄先生もそのような研究者の一人です。

生まれ変わり研究の流れ

「過去生を語る子ども」の事例は、専門的には「再生型事例」(Case of the Reincarnation Type、略してCORT)と呼ばれています。40年以上に亘る研究を通して、イアン・スティーブンソンと共同研究者たちは、過去生を語る子どもについて研究する場合の手法を確立してきました。その大きな流れは次の通りです。

面接調査 → 記録による確認(+見分けテスト) → 追跡調査 → データ入力

当然ながら何よりも重要なのは、本当に事例が存在するのか、思い込みによる自己欺瞞《ぎまん》やでっちあげの可能性はないか、を確認することです。そのために細心の注意を払って面接調査が行われます。調査で重要な原則は、次の3つです。

(1) 一人でも多くの関係者に面接する
(2) 直接見聞きした人のみを対象にする
(3) 個別に面接する(可能な限り)

可能な限り中心人物である子どもへの面接を行うのは当然ですが、当人が恥ずかしがって話さない場合もありますし、事例が見つかってから調査までの時間が長い場合、子ども自身が発言内容を覚えていない場合も少なくありません。

したがって、子どもの発言や振る舞いがどのようなものであったのかを正確に突き止めるために、この3つの原則が重要になってきます。10人に面接して、10人が同じように「この子は2歳の時に『隣の村に本当のお母さんがいる』と言っていた」と証言すれば、本当にそのような発言があったと考えて問題ないでしょう。

情報提供者を中心人物の発言や振る舞いを直接見聞きした人に限定するのは、話に尾ひれがつかないための当然の処置と言えるでしょう。

また、情報提供者が他人に影響を受けないようにするために、個別に面接することも重要です。もっとも、個室が簡単に見つからないような地域では不可能な措置ですが。

情報提供者に金品を渡すことはありません。報酬目当てで偽りの証言をする人物が出てこないようにするための配慮です。

ただし、仕事を持っている人などに話を聞く時には、時間分の対価を支払うことはあります。

このような面接調査によって、事例の全体像がかなりはっきりと見えてきます。

母斑や振る舞い

面接を行う際には、中心人物に過去生と関係のある母斑《ぼはん》があるかどうかや、過去生の記憶と関係する振る舞いがないかについても注意を払います。「（過去生に）ここをナイフで刺されたんだ」と語る子どもの胸にナイフの傷に相当する母斑がある、といった事例は少なくありません。

また、「ナイフで刺されて死んだから」と言ってナイフを怖がるなど、過去生の記憶と関係する振る舞いを示す事例もたくさんあります。母斑や振る舞いは、過去生に関する単なる知識を超えた証拠と考えられるので、面接の際には特に注意が払われます。

記録による確認と「見分けテスト」

ここで言う記録とは、事例が真性であることを証明する記録です。中心人物の生年月日を確認する出生証明書や、過去生の人物の死亡を確認する死亡証明書、死因を確認する検死記録といった公のものから、新聞・雑誌・テレビのような報道、日記のような私的なものまでが含まれます。可能な場合にはコピーを入手し、バージニア大学医学部知覚研究所のファイルに保存されます。

中心人物やその家族がまだ過去生の家族と対面していない場合、「見分けテスト」を行います。過去生の人物に関する物品などを関係のない物品と一緒に見せて関係のあるものを見分けられるか、また、多くの人物の中から関係のある人物を見分けることができるかをテストします。

追跡調査

同じ事例を、可能な限り、何度も追跡調査します。これには二つ理由があります。

一つ目は、証言に食い違いが出てこないかを確認するためです。記憶は薄れていくのが普通なので、証言の内容が減って行くのは自然なことですが、以前の証言と大きく食い違う証言が出てきた場合には、その情報提供者の証言は疑わしいと判断することになります。

もう一つの理由は、中心人物の経年変化を調べるためです。過去生記憶はどれだけ残っているのか、過去生記憶を話し出した時に示した、過去生に由来する振る舞いはどれだけ残っているのか、といった中心人物側の変化の確認を行います。

事例の分析とデータベースへの入力

バージニア大学医学部知覚研究所では、収集された「再生型事例」をコード化し、順次データベースに入力しています。このデータベースを使って分析を行うことで、個々の事例からだけでは分からない全体像を見ることが可能になります。データベースには「中心人物の出身国」「中心人物の性別」といった208の項目（変数）が設けられています。

項目は、大きく次の5つに分けられます。

（1）「中心人物と過去生の人物の両方に対して設けられているもの」
（2）「中心人物だけに対して設けられているもの」
（3）「過去生の人物に対してだけ設けられているもの」
（4）「中心人物と過去生の人物との関係に関するもの」
（5）「調査の性質に関わるもの」

主なものを次頁に挙げておきましょう。もちろん、全ての事例について、あらゆる項目が入力されているわけではありません。情報提供者がいない項目については空白のままです。また、

中心人物と過去生の人物の両方に対して設けられている項目	出身国・部族・性別・宗教・母語・生年月日・社会的地位・経済的地位・居住地の規模・双子かどうか・利き手・性格（富に固執しているか・犯罪行為を犯す傾向があるか・博愛主義的か・宗教に熱心か・瞑想するか・高徳か）
中心人物に対してだけ設けられている項目	妊娠中の母親の嗜好の変化の有無・妊娠合併症の有無・両親の職業・両親の教育程度・家族の中の子どもの数・出産順位・初めて明瞭に話した年齢・本人が知らないはずの言語を話したことがあるか・母斑の有無と数・先天性欠損の有無と数・母斑や欠損が過去生の人物の致命傷と一致するかどうか・母斑や欠損が過去生の人物の致命傷ではない傷と一致するかどうか・過去生の人物と関係する病気の有無・過去生の人物と顔立ちや体格などが似ていると言われるか・両親に望まれた子どもだったか・いくつの過去生を覚えているか・動物としての生を覚えているか・地球外での「人生」を覚えているか・過去生の人物について初めて表現した年齢・過去生の人物について初めて話した年齢・過去生の人物について話す時の様子・過去生の人物の死因を覚えているか・葬儀について覚えているか・過去生の人物の死から中心人物の誕生までの出来事について述べたか・受胎から誕生までの出来事について述べたか・過去生の人物に関係する場所を訪れた時、変化について指摘したか・過去生の人物の生活と今の生活を比べる発言をしたか、した場合、どちらがいいか述べたか・過去生と関係する変わった食習慣はあるか・アルコールやタバコなどの嗜好品を異常に好むか・変わった好みはあるか・恐怖症はあるか・変わった技術を持っているか・いわれのない憎しみの感情を持っているか・過去生について語る時、人が変わったようになるか・異性と関連した振る舞いをするか・異性の服を着ようとするか・年の割に大人っぽいか・学校の成績・過去生の家族に戻りたいと希望しているか・ヒーリング能力など特殊な力があるか・過去生の人物について話すのをやめた年齢・過去生について発言した数、発言の中で事実の裏付けが取れたものの数、間違いだと判明したものの数・過去生の人物に関わる人や物を見分けた場合、何人／いくつ見分けたか
過去生の人物に対してだけ設けられている項目	過去生の人物は特定できているか・職業・教育程度・死亡年月日・死亡場所・死亡年齢・死因・どれだけ予期できた死か・やり残した仕事はあったか・生まれ変わりの意志を示したか・生まれ変わりの予言をしたか
中心人物と過去生の人物との関係に関する項目	両親が過去生の人物の居住地を訪れたことがあるか・血縁関係や地理的なつながりがあるか・中心人物の家族と過去生の人物の家族との距離・両家が出会っている場合、最初の対面の日時
調査の性質に関わる項目	調査を始めたのは両家族が対面する前か対面した後か、対面の後の場合、対面後調査までどれくらいの時間が経過しているか・家族の対面後、両家の交流は続いているか・交流が途切れた場合、理由は何か・中心人物を過去生の人物の生まれ変わりとして受け入れた度合い・調査日・調査前の記録の有無

他の項目との関係で空白のままの項目も出てきます。例えば、過去生の人物が特定されていない場合、「中心人物と過去生の人物の関係」に関する項目は全て空白になります。既に第一章でご覧いただいたように、本書では、事例の紹介と並行して適宜データベースの検索結果を紹介します。

収集した事例を「再生型事例」と認定するかどうかについては、次の6つの項目のうち、2つ以上を満たしていることが条件です。

1. 過去生の人物が亡くなる前に、自分の生まれ変わりを予言している。ただ単に「生まれ変わってくる」といった漠然としたものではなく、「某のところに生まれる」といった具体的な内容が必要。
2. 関係者が生まれ変わってくる人物の誕生を予告する夢を見ている。
3. 中心人物に過去生の人物と関係する母斑（単なるあざやしみ、ほくろ、斑点といったものは除外します）や先天性欠損がある。
4. 中心人物が幼児期に過去生に関する発言をしている。大人になって「思い出した」というような事例は除かれます。また、中心人物が幼児期に発言していたことを証言する情報提供者が少なくとも一人は存在することが必要。

5．中心人物が過去生に馴染みのある人や物を見分けた。
6．中心人物が過去生と関係すると思われる変わった振る舞いを示している。

ただし、過去生と関係するように思われる大変珍しい母斑がある、といった特別に考慮すべき事情がある場合には、データベースに入力される場合もあります。

スティーブンソンの徹底した調査の様子

スティーブンソンの著書や論文を読むと、その徹底した調査ぶりを垣間みることができます。インドの10の事例を報告した１９７５年の著書では、情報提供者が一番少ない事例で６人、一番多い事例では20人、平均すると一つの事例につき、13・３人の情報提供者を面接しています。あるトルコの事例では、37名もの情報提供者の名前が挙げられています。情報提供者が増えれば、内容に食い違いが出てくることもあります。そのような場合の取り扱いはどうすればいいのでしょうか。スティーブンソンが下した結論はこうです。

「食い違いは食い違いとして、全部報告する」

スティーブンソンの立ち位置は、「入手した情報は全て提供するから、判断は読者でやって

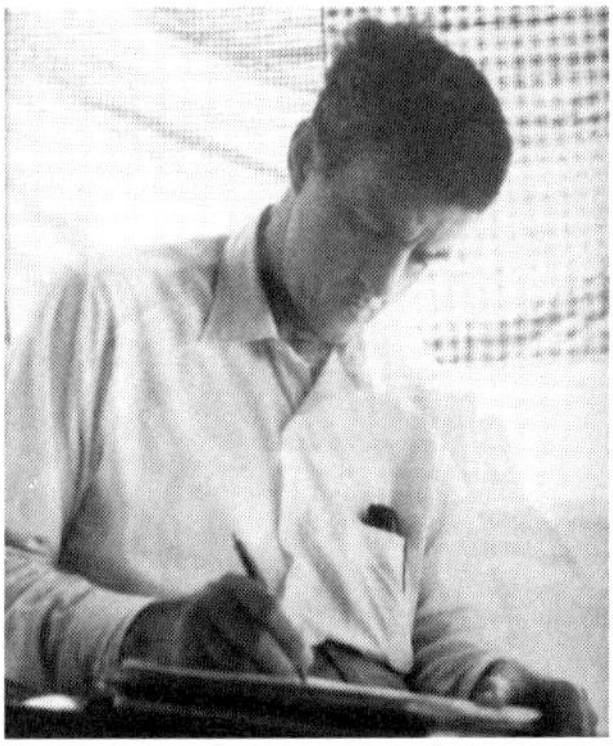
フィールドワーク中のイアン・スティーブンソン

ください」というものです。「手のうちは全て見せます」と言わんばかりに開示された証言の記録を目の前に、読者は裁判官、あるいは裁判員のような役割を要求されるのです。このようなスティーブンソンの研究姿勢は、どんな懐疑論者であっても「何かある」と考えざるを得ないような迫力を持っています（もちろん、最初から証拠を見ようとしない似非《えせ》懐疑論者は別です）。スティーブンソンが確立したこの研究手法は、現在の研究者たちにも受け継がれています。

しかし、このような姿勢のため事例の全体像を把握するのに多大な集中力を要し、輝かしい業績が一般の目に触れる機会が少ないのは大変残念なことでもあります。そこで、第五章では、スティーブンソンの報告した興味深い事例のいくつかを、エッセンスに絞って紹介します。

(10) Stevenson, Ian (1974) *Twenty Cases Suggestive of Reincarnation, 2nd Edition.* Charlottesville, VA: University Press of Virginia.（現在も入手可能な第二版を挙げておきます）

第四章　生まれ変わりのサイクルと6種類の記憶

6種類の記憶

人間の心（意識・魂）は肉体の死後も存在し、また新たな肉体に宿る。そんなサイクルがある。つまり、

「受胎」→「肉体を持った状態」→「誕生」→「死」→「肉体を持たない状態」→「受胎」

という流れが繰り返されている、と考えてみましょう。このサイクルのそれぞれの側面に対応する記憶として、以下の6つの記憶を考えることができます。

（1）「受胎記憶」：受胎の時の記憶
（2）「胎内記憶」：肉体を持った後、誕生までの記憶
（3）「誕生時記憶」：誕生の時の記憶
（4）「過去生記憶」：過去の生での記憶。過去生記憶と対比させるために、現在の生の記憶を「現在生記憶」と呼ぶ
（5）「死亡時記憶」：死亡時の記憶

（６）「中間生記憶」：死から受胎までの記憶
（※さらに、「精子の時の記憶」や「卵子の時の記憶」を考えることもできます。）

また、産科医の池川明先生のご活躍により、（１）～（６）をまとめて「胎内記憶」と呼ぶこともありますが、厳密には右のような区別がなされます。

第三章で見た勝五郎は、次の記憶を持っていました。

・「過去生記憶」：藤蔵としての人生。
・「死亡時記憶」：死ぬ時は苦しくなかったが、その後少し苦痛を感じた。それ以降は全く苦しいことはなかった。
・「中間生記憶」：死後、肉体から飛び出し家に戻った。老人に連れられて「あの世」に連れて行かれた。生まれ変わるために勝五郎の家に来た。

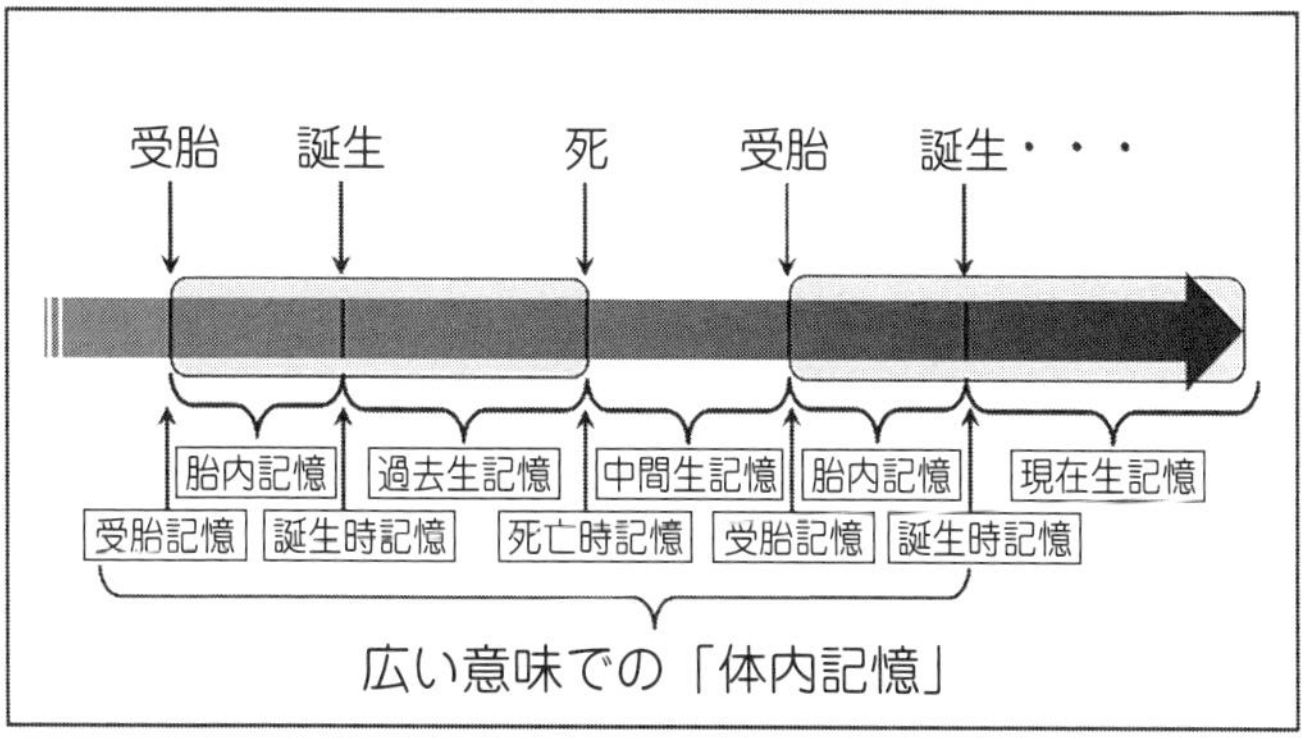

６種類の記憶

・「胎内記憶」：母親が苦しくないように位置を変えた。
・「誕生時記憶」：生まれる時は苦しくなかった。

勝五郎の「胎内記憶」や「誕生時記憶」はあまり具体的なものではありませんが、詳しい記憶を語る子どもは少なくありません。

例えば、映画『かみさまとのやくそく～あなたは親を選んで生まれてきた』（荻久保則男監督、2016年）に出演し、その後『かみさまは小学5年生』や『かみさまは中学1年生』のベストセラーを出版したすみれちゃんは、映画の中で、「おなかの中にいる時にママがおにいちゃんに『どうぞのいす』という絵本を読んであげていた」とか「生まれた時、呼吸をしていないと思われ、看護師さんに背中をバンバンと叩かれてとても痛かった」など、詳しい「胎内記憶」「誕生時記憶」を語っています。

「記憶」を語る子どもの割合・話す時間・話し始める年齢

これらの記憶を語る子どもたちはどれくらいいるのでしょうか？

筆者がインターネットの調査会社を使って女性約一万人を対象とし、自分の子どもが「過去生記憶」「中間生記憶」「胎内記憶」「誕生時記憶」の４つについて語ったことがあるかどうかを訊ねた調査では、次のような結果が出ています。(11)

・過去生記憶：４・０％
・中間生記憶：13・３％
・胎内記憶　：28・１％
・誕生時記憶：16・２％

この数字には、記憶について自発的に語った子どもの数値と、訊かれて初めて語った子どもの数値が入っています。訊かれなかったので話さなかった子どもや、訊かれても話さなかった子どもがいるとすれば、全体の割合はもう少し高くなるかも知れません。

これらの記憶を語った子どもを持つ家族の宗教は、いずれの記憶でも7割ほどが無宗教であり、宗教の教義の影響は、あったとしても、少ないと考えられます。

また、これら４つの記憶を全て語ったという子どもは少なく、全体の１・８％にすぎません。４つの記憶のうちの３つを語ったという子どもは４・８％、二つを語ったという子どもは29・８％、残りの63・６％は４つの記憶のうちのいずれか一つしか語っていません。

これらの記憶について最初に語った年齢で最も多いのは3歳で、年齢が進むごとに話す子どもの割合は少なくなっていきます。

これらの記憶を話す時間帯としては、寝る前が最も多く、食事の時や入浴時が続きます。

子どもたちの語る「記憶」は本当の記憶なのか？

子どもたちの語る「記憶」が実際の記憶だとすれば、子どもを「教育し、育てていくべき存在」とみなしている多くの親にとっては革命的な考えの転換が起こります。子どもにも「人生の目的」があり、親を選んで生まれてくる。親子関係は受胎前から始まっていて、子どもは誕生のずっと前から親の言動を知覚している。赤ん坊は肉体的には未熟でも、肉体に宿っているのは、多くの経験を積んだ、親よりずっと老練な魂である可能性がある。このような考えの転換は当然、子どもへの接し方にも影響してきますし、実際、このような記憶を語る子どもたちに接した多くの親が、子どもを独立した存在として尊重する子育てにシフトしています。第一章で紹介した子どもが中間生記憶や過去生記憶について語ったことで、人生観が劇的に変わったというマキコさんは、この典型的な例になります。

一方、子どもに関わる研究者や指導者の多くは、心（意識）は脳が生み出す、という立場であり、残念ながら右記のような「記憶」については「ありえないもの」として全く取り合いません。しかし、それでも少しずつ状況は変わっています。過去生記憶や中間生記憶は認めなくても、胎内記憶については認める研究者も増えてきています。

具体例を一つだけ見てみましょう。

広く認められている狭義の胎内記憶

例えば、胎児は母親の話す言語の音調を学習・記憶していることが実験的に示されています。アメリカのカンザス州で行われた実験では、胎児生体磁力計と呼ばれる装置を使って、英語を母語とするお母さんのお腹の中の胎児に英語の絵本を読んだ後、続けて英語の本を読んだ場合と同じ絵本の日本語訳を読んだ場合の反応を調べました。

すると、英語を読んだ場合とは違って、日本語を読んだ場合には胎児の鼓動が速くなるという変化が見られたのです。

つまり、胎児はすでに母親の母語である英語の音調を記憶しており、それとは異なる音調を持つ日本語を区別することができたと考えられます[12]。

このような胎内記憶は、勝五郎が語った「お母さんが痛くないように身体を移動した」という類のものとは違いますが、それでも「胎児は脳が未発達だから記憶などできるはずがない」と言われていた頃と比べると、大きな進歩ではあります。いつか、肉体を持たない状態であっても人（魂）は記憶することができる、ということが広く認められるようになると思いますが、現時点でどこまで確信を持って言えるのでしょうか？　それを見ておきましょう。

「胎内記憶」を本当の記憶と考えうる理由

子どもたちの発言の真実性を見極める方法として、次の12項目を挙げることができます[13]。

（1）自発的な発言である。
（2）一定期間、発言の内容に一貫性がある。
（3）目をじっと見て話す。
（4）共通の要素。
（5）記憶を語る年齢（幼少期）。
（6）事実との合致。
（7）淡々とした、自信に満ちた、真剣な、声の調子。

(8) 子どもが事実を話していると感じる親の直感。
(9) 記憶について絵で表現する。
(10) 親にとって霊的な成長や癒やしとなる内容。
(11) 世界的な共通性。
(12) 子どもの語る内容と、幼い頃の記憶を保持している大人の語る内容との共通性。

第三者から見た、客観性という点で特に重要なのは、６番目の「事実との合致」です。前述の筆者自身のインターネット調査では、子どもたちの語る内容に事実と合致する部分があったか、という問いについて、誕生時記憶を語った子どもの母親の86・7％、胎内記憶を語った子どもの母親の70・６％、中間生記憶を語った子どもの母親の42・６％が「事実と合致する部分があった」と答えており、それには次のような内容が含まれました。

・誕生時に同席した人物を正しく列挙した。
・帝王切開で生まれた子が「突然明るくなって驚いた」と語った。
・胎内にいた時に母親がよく聴いていた歌を突然歌い出した。
・両親の結婚式の様子を正しく描写した。

過去生記憶については、2名が過去生の人物を特定できた、と語っています。この事実はこれらの記憶が単なる空想ではないことを示唆しています。

もっとも、親にとっては十分な証拠かも知れませんが、「胎内記憶」に懐疑的な人にとっては、これらはみな「身内の証言」なので、十分な客観性があるとは言えない点が問題になります。特に、肉体を持たない状態の中間生記憶については、「本人の知らないはずの結婚式の様子を正確に描写した」といったことがあったとしても、親や家族が話した内容を覚えていただけ、という可能性は捨て切れません。

そんな弱点を補ってくれるのが、客観的に検証された過去生記憶を持ち、同時に他の記憶も持つ子どもたちです。この子は正確な過去生記憶を語っているのだから、おそらく他の記憶も正確なのだろう、そんな推測が成り立つような場合も少なくありません。

(11) Ohkado, Masayuki (2015) "Children's Birth, Womb, Prelife, and Past-Life Memories: Results of an Internet-Based Survey." *Journal of Prenatal and Perinatal Psychology and Health*, 30(1), 3-16.

(12) Minai, Utako; Kathleen Gustafson; Robert Fiorentino; Allard Jongman; Joan Sereno (2017) "Fetal Rhythm-Based Language Discrimination: A Biomagnetometry Study." *Neuroreport*, 28(10), 561-564.

(13) Carman, Elizabeth and Neil Carman (2019) *Babies Are Cosmic: Signs of Their Secret Intelligence*. Austin. TX: Babies Are Cosmic.

第五章　スティーブンソンが発掘した生まれ変わり事例

本章では、40年に亘ってスティーブンソンとその協力者が収集した生まれ変わり事例の中でも特に興味深いと思われるものを紹介しましょう。事例紹介の後には、その事例と関連する事項について、第三章の「事例の分析とデータベースへの入力」で概説したデータベースを検索した結果を付記します。

実際の事例を紹介する前に、どのくらいの事例が世界のどの場所で見つかっているのかを簡単に見ておきましょう。（※今回の検索結果の基になったデータベースは、およそ2600例のうちの2030例が入力されたものです。）

生まれ変わり事例が見つかった国

「過去生を語る子どもの事例」、すなわち「再生型事例」は次の41カ国（地域）で報告されています。

インド、スリランカ、チベット、ネパール、ビルマ（ミャンマー）、タイ、カンボジア、ベトナム、ラオス、トルコ、シリア、レバノン、イスラエル、日本、モーリシャス、ナイジェリア、アルジェリア、ザンビア、リベリア、リビア、モザンビーク、イギリス（スコットランドを除く）、スコットランド、フランス、ドイツ、オーストリア、イタリア、ハンガリー、スウェーデン、フィンランド、ポルトガル、アイスランド、オランダ、アイルランド、アメリカ、カナダ、メキシコ、キューバ、ブラジル、アルゼンチン、オーストラリア

この中で、20を超える事例が報告されているのは次の9カ国です。ただし、北米の先住民族は他のアメリカ人とは異なる文化的特徴があるので、集計は別に行っています。また、カナダで報告されている事例は全て先住民族の事例です。

では、実際の事例を見ていきましょう。

より詳しくお知りになりたい方は、次に出てくるスクラの事例については第三章末の文献[10]を、それ以外についてはスティーブンソンの1997年の著書[14]をご参照ください。

20を超える事例が報告されている国

国	数
先住民（アメリカ）	96
先住民（カナダ）	78
アメリカ	130
インド	455
スリランカ	238
ビルマ（ミャンマー）	204
タイ	92
ナイジェリア	62
レバノン	151
トルコ	396

過去生の娘との再会　インドのスクラの事例

「ミ・・ヌ、ミ・・ヌ」

そう言いながら枕を抱きかかえているのは、1954年3月生まれの女の子スクラです。まだ1歳9カ月のスクラは、まるで赤ん坊をあやすかのように、ゆっくりと枕を揺らしながら語りかけています。「ミヌって誰だい？」、家族がそう尋ねると、スクラは答えました。

「私の娘」そう言って、また枕を揺らしました。

それからというもの、スクラは徐々に過去生の話をするようになりました。

「ケトゥという義理の弟がいるわ」

「もう一人、義理の弟がいて、名前はカルナ」

「夫とミヌ、そして二人の義弟と一緒に暮らしてたの」

スクラは夫の名前は言いませんでした。インドでは、夫の名前を言わないのがしきたりです。もしスクラが本人の言うように本当に人妻の生まれ変わりだったとすれば、スクラの振る舞いはそのしきたり通りでした。

「夫と映画に行って、それからおやつを食べたの」

それから、夫に会いたい、ミヌに会いたいと言い始め、「バトパラに連れてって」と何度も両親にせがみました。

スクラの話があまりにも具体的なので、父親がバトパラの近くに住む友人に娘の話をしました。友人が調べたところ、バトパラにはケトゥという男がいて、スクラの生まれる6年前の1948年に義理の姉を病気で亡くしていることが分かりました。しかも、ミヌという娘を残して亡くなったというのです。その女性の名前はマナといいました。

「とても偶然とは思えない」と考えたスクラの家族は、スクラをバトパラに連れて行くことにしました。スクラが5歳になったばかりの頃のことです。

過去生の家族との再会

バトパラに着くと、スクラは先頭に立って、どんどん先に進んで行きます。目指す家に入ると、20～30人の人がスクラを見ようと集まっていました。

「旦那さんがどこにいるか分かるかい?」

誰かが声をかけると、ある男性を指して「ミヌのお父さん」（つまり、マナの夫）と言ったのです。その通りでした。それからすぐに近くにいたケトゥを指して「ミヌのおじ」と言い当てました。

そこへ、一人の男性が入ってきて「僕が誰だか分かるかい？」と声をかけると、スクラは「カルナ、義弟（おとうと）よ」と答えました。これには誰もが驚きました。カルナはいつもあだ名で呼ばれていて、家族以外は本名を知らないほどだったからです。

「お義母様《かあさま》はどこにいらっしゃる？」とスクラの母親が尋ねると、スクラは義母の方に手を差し出しました。


「ミヌが来たぞ！」誰かが叫びました。

その声を聞いたスクラの動きが止まりました。瞬く間に涙が目に溢れたかと思うと、ぽたぽたと流れ出したのです。ミヌが入って来ると、スクラは、まるで生き別れた娘と出遇ったかのように、身を震わせて「再会」を喜びました。5歳のスクラが、12歳のミヌに母親のように接するという、周りから見れば奇妙な光景でした。


「夫と映画に行って、それからおやつを食べたの」

スクラはそう言っていました。どうしてスクラがそんなことをしっかり記憶していたのか、その理由がこの家に来て分かりました。

「夫と映画を観に行くなんて、インド人の妻としてあるまじき行為」と考える義理の母に叱られて、夫と映画を観たのはたった一度きりの楽しい思い出だったのです。

スクラはマナの家を自分の家であるかのように動き回りました。別の部屋に入ると、戸棚を開け、マナ専用だった真鍮の水差しを出して見せました。たくさんのサリーの中から、自分が着ていた3着を見分けました。

5歳の身体を持ったマナ。誰もがスクラをそう認めないわけにはいきませんでした。

これを機に、スクラの現在の家族と過去生の家族の交流が始まりました。

「夫は海老が好きだから、海老を用意して」

マナの夫が遊びに来る時には、スクラはこう言って家族に指示しました。スクラの言う通り、海老は夫の大好物でした。

夫と接する時のスクラは、インド人の妻としてふさわしく振る舞いました。夫を立て、夫が食べた皿に残った食事は口にしましたが、それ以外の皿の食事には手を出しませんでした。

元夫は週に一度ほど、スクラの家を訪れるようになりました。スクラは、ミヌに対しても、深い愛情を示し続けました。

ほころびと別れ

スクラが「元夫」と「再会」してから、「元夫」は週に一度ほどスクラのところに通うようになりました。そんな状態が一年ほど続きましたが、やがてスクラとマナの家族の間にほころびが生じ始めました。

「元夫」が再婚すると、新しい妻はスクラとの関係を喜びませんでした。小さな女の子とはいえ、妻だと主張している女性のところに毎週夫が通って行くのは、気分のいいものではありません。「元夫」がスクラの元に通う回数は次第に減っていきました。

スクラの方も成長するにつれ、心と身体のアンバランスに悩むようになりました。同級生の女の子たちと過ごす時間が増えるにしたがって、「夫や娘がいる」という状況に羞恥心を感じるようになりました。スクラが7～8歳になった頃、両親も「元夫」のことを話すのはやめるように促しました。

スクラが「元夫」の来訪を歓迎して迎えたのは1966年、12歳の時が最後になりました。スクラが自分から過去生の話をすることがほぼなくなったのも、この頃でした。

スクラが「自分の娘」だと語ったミヌは、1967年に結婚しましたが、スクラは式に招かれませんでした。スクラの属するカーストは上から4番目に位置付けられるバイシャ、マナのカーストは最高位のブラフミン、その違いが原因だったのかも知れません。

1968年、ミヌが結婚した夫と一緒に挨拶に来ましたが、二人が帰った後、スクラは「あの人たちに煩わされるのはごめんだわ」と不平を漏らしました。

1969年、15歳になったスクラは自分から過去生の話をすることは全くなくなり、周りがその話をすると、うんざりした様子を見せるようになりました。「スクラ」は完全にスクラになったようです。

カーストの壁

カースト制度の存在するインド社会では、今でもカースト間の人の移動は認められていません。前述のように、スクラの家族はバイシャと呼ばれる上から4番目のカースト（その中のバニアというカーストに属していました）、マナの家族は最高位のブラフミンに属していました。両者が深く交流するのは異例のことです。

また、ヒンズー教徒の教えに従えば、ブラフミンの女性がバイシャとして生まれ変わるのは、過去生の報い（負のカルマ、ただし、「カルマ」という語に本来悪い意味はありません）との解釈も成り立ちます。その意味では、死亡した妻がバイシャに生まれ変わったという話は、元夫の家族としては不名誉なことです。

それにもかかわらず、元夫の家族がスクラを受け入れたという事実は、既に十分説得力のあるスクラのエピソードの真実性をさらに堅固なものにしていると言えるでしょう。

【データベースの分析】
過去生について表現し始める時期・話すのをやめる時期

再生型事例は、幼い頃に過去生の話をし出すが、成長するにつれて記憶は薄れていき、やがて忘れてしまう、というのが一般的な特徴です。

この点をデータベースで見てみると、以下の表のようになります。

「過去生について初めて表現した時」というのは、しぐさ、振る舞いを含め、何らかの形で過去生に関する表現が見られた時のことを指します。スクラの話で言えば、枕を抱きかかえるしぐさを見せ始めた時期に相当し、データベースでは21カ月（1歳9カ月）と入力されています。

「過去生について初めて言葉で表現した時」は、「過去生について初め

過去生について表現し始める時期・話し始める時期・話さなくなる時期

	過去生について初めて表現した時	過去生について初めて言葉で表現した時	過去生の人物について自分から話すのをやめた時
データ数	1594	1581	440
平均	生後 34.3 カ月	生後 35.7 カ月	生後 88.4 カ月

て表現した時」と同じか、それより遅い時期ということになります。スクラの場合、実際に過去生の話をし始めたのは枕を抱いて「ミヌ」と言っていた時期より遅いので、この時期は「過去生について初めて表現した時期」より後になります。データベースでは36カ月（3歳）と入力されています。

「過去生の人物について自分から話すのをやめた時期」は、「そう言えば、過去生の話をしなくなったな」と周りが感じた時期のことです。必ずしも記憶を無くした時期と一致はしません。データベースの平均は、7歳を過ぎた頃になっています。スクラの場合、この数値は平均より5年程度遅く、144カ月（12歳）となっています。

【データベースの分析】　カーストについて

過去生と現在生を比べた時、カースト間の移動はどれくらいあるのでしょうか。大変複雑なカースト制度ですが、データベースでは次の6つに分けて入力されています。

ブラフミン
クシャトリヤ

カーヤスタ
バイシャ
シュードラ
その他（最下位のカースト）

ブラフミンを最上位として、クシャトリヤ、カーヤスタ、バイシャ、シュードラ、その他と位が下がります。集計結果は以下の通りです。

上昇と下降、どちらの例もあるようです。カルマの部分については検証のしようもありませんが、少なくとも「輪廻転生によって身分が変わりうる」と解釈可能な現象が存在するのは事実のようです。

カースト

■ 上昇：96
■ 下降：51
□ 変化なし：91

	過去 ブラフミン	過去 クシャトリヤ	過去 カーヤスタ	過去 バイシャ	過去 シュードラ	過去 その他	合計
現在 ブラフミン	28	8	2	14	8	4	64
現在 クシャトリヤ	7	18	2	3	9	2	41
現在 カーヤスタ	4	1	7	3	1	0	16
現在 バイシャ	5	1	0	3	30	5	44
現在 シュードラ	11	10	0	3	30	5	59
現在 その他	3	5	0	0	1	5	14
合計	58	43	11	26	79	21	238

イスラム教を拒否する子ども　インドのナスラディンの事例

困ったイスラム教徒の子どもがいました。名前はナスラディン。1962年にインドのウッタル・プラデーシュ州のアラハガンジという街に生まれた男児です。人口4000人ほどのこの街の60%ほどはヒンズー教徒、40%ほどはイスラム教徒です。ナスラディンの両親は、アラーフ（イスラム教の神）への祈りを欠かさないイスラム教徒（スンナ派）でした。

ところが、息子のナスラディンはイスラム教徒の祈りを唱えるのを拒否するのです。それどころか、イスラム教徒の寺院であるモスクに行くのも拒みます。毎年1カ月の間、日の出から日没までの間、飲食を断つラマダーンには「お腹をすかせたりして、何になるの？」と参加しようとしません。

ナスラディンは4人兄弟の2番目ですが、家族の誰よりも自分が上だと思っているような振る舞いをします。誰かが食事に使った皿は使おうとしません。誰かが飲み物を飲むのに使ったコップも同様です。

貧しい家では、燃料として牛糞を集めるのは子どもたちの仕事でした。しかし、この作業をするのも拒否しました。

高価な服を欲しがり、他の人の着たものは決して着ようとしませんでした。家族の食べる牛肉や魚は口にしようとせず、羊の肉を要求しました。他の子どもたちとは遊ぼうとせず、多くの時間を一人で過ごしていました。

ナスラディンの過去生

ある日のこと、ファルガナという村からやって来た象を見て、幼いナスラディンが泣き出しました。一緒にいた母親は象が怖くて泣いているのだと思いましたが、そうではありませんでした。

「あの象は僕のだ！　あの象は僕のだ！」

自分の象だから連れて帰りたい、というのを聞いて、母親は困ってしまいました。

父親はナスラディンが他の子どもに「自分はサクール（Thakur）だ」と自慢げに言うのを耳にしました。サクールはヒンズー教で2番目のカースト、クシャトリヤの一つです。

「ナスラディンはヒンズー教徒の生まれ変わり⁉」

イスラム教徒のナスラディンの両親は、一般のイスラム教徒同様に生まれ変わりを信じてはいませんでした。しかし、ヒンズー教徒の生まれ変わりだとすれば、ナスラディンの奇妙な振る舞いは全て辻褄が合います。

やがてナスラディンは、「僕の住んでいた村で喧嘩があって、僕は槍で突かれて死んだんだ」と語りました。村の名前もファルガナであることが分かりました。ナスラディンが「僕のだ」と欲しがった象がやって来た場所で、アラハガンジからは9・5キロメートル離れた人口200人ほどの小さな村です。ナスラディンが「自分の過去生だ」と語る人物は、ハルデヴ・バクシュ・シンという実在した人物らしいということも分かりました。

ナスラディンの話がファルガナに伝わると、ハルデヴ・バクシュ・シンの妻と彼の息子の一人、そして何人かの村人がナスラディンに会いにやって来ました。対面したナスラディンは、ただちに「自分のかつての妻と息子」を認識しました。しかし、その名前を言うことはできませんでした。

ナスラディンの過去生の人物、ハルデヴ・バクシュ・シンは、ナスラディンが生まれる1年ほど前の1961年、村人によって殺害されていました。ハルデヴ・バクシュ・シンの飼っていた家畜が他の村人の土地を通り抜けたことで争いになり、北部インドの人たちが護身用に持っている長い槍で突かれたのです。この時、ハルデヴ・バクシュ・シンは70歳代前半でした。

ナスラディンの強硬な態度に両親が妥協

ナスラディンは過去生の自分を殺した村人を恨んでいませんでしたし、積極的にファルガナに帰りたいとも言わなかったため、結局、ファルガナに行くことはありませんでした。

ヒンズー教徒の中には、「過去生記憶を持っていると不幸になる」と信じている人たちがいます。その人たちは、子どもに過去生記憶があると分かると、叩いたり、石臼の上に乗せて反時計回りに回したりして、記憶を忘れさせようとします（ただし、実際には効果はないようです）。その習慣を知っていたナスラディンの両親は、同じことをナスラディンに対しても行いましたが、それはヒンズー教徒のように不幸になることを心配してではなく、イスラム教徒として波風を立てずに生きていって欲しいと願ってのことでした。

一方で、ナスラディンの強硬な態度に両親が妥協した部分もあり、一家では牛肉は食べないようになりました。

ナスラディンの両親たちは、イスラム教では一般に信じられていない生まれ変わりについてはもちろん否定的でした。しかし、ナスラディンを育てることになって、イスラムの教えにもかかわらず、生まれ変わりはある、と考えざるをえなくなった、と語っています。

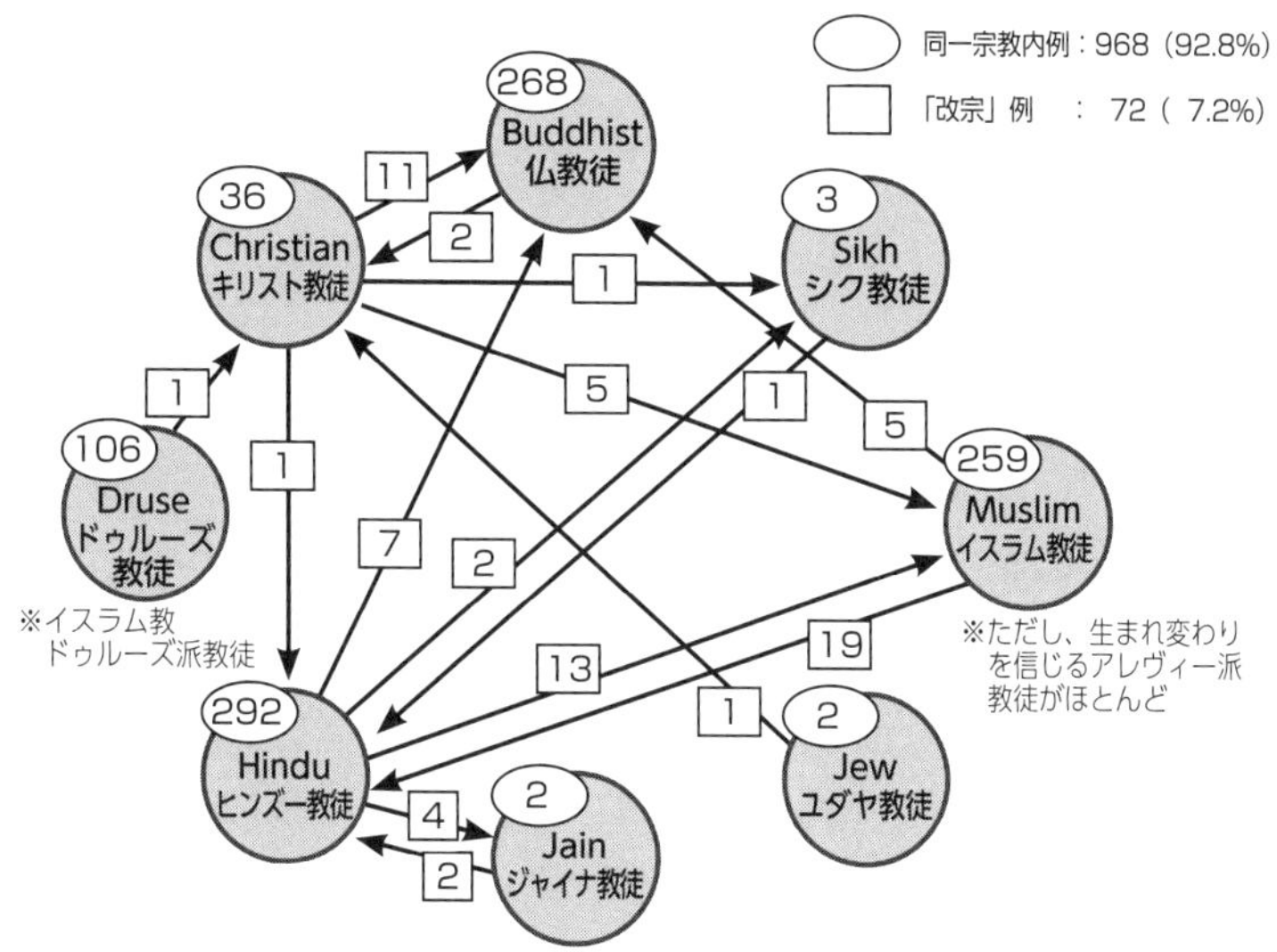

【データベースの分析】
宗教と再生型事例

ナスラディンの事例が示すように、宗教を超えて生まれ変わる事例は少なくありません。上の図は、データベースに入力されている8つの宗教間での生まれ変わりを示しています。楕円の数値は、同一宗教間での事例、矢印は過去生の人物と現在生の人物で宗教が変わったことを示しており、四角の中の数字は該当する事例の数です。例えば、仏教徒の事例では、268例が過去生でも現在生でも仏教徒であるのに対して、過去生でキリスト教徒だった人物が現在生では仏教徒である事例が11、逆に過去生で仏教徒だった人物が現在生ではキリスト教徒である事例が2あることを示しています。

裏の顔を持つ教師　タイのチャナイの事例

タイの小さな村バン・カオ・プラに住むブア・カイは、子ども思いの優しい小学校教師でした。スアンという名の妻とヴィチャイ、スラデイという名の二人の息子、ティムとトイという名の双子の娘がいて、家族を大切にする良き夫であり、良き父でした。特に双子の娘たちのことを可愛がっており、帰りが遅くなる時には、子どもたちのために、よくサトウキビを買ってきてくれました。

しかし、そんなブア・カイには裏の顔がありました。妻以外に複数の女性と付き合い、しかも副業として、地元のギャングたちと関わる仕事をしていたのです。そのため、いつも拳銃を携えていました。

おそらくこの副業にまつわるトラブルでしょう。バン・カオ・プラ寺院の祭りに参加した時、誰かに腹部を撃たれて負傷。幸い一命を取り留めたブア・カイは転勤を申し入れ、タパン・ヒンの近くの学校に勤務することになりました。タパン・ヒンはバン・カオ・プラの約25キロ西に位置する大きな街です。転勤に伴って、住居も学校の近くに移しました。

1962年1月23日、ブア・カイはいつも通り自転車で勤務先の小学校に向かっていましたが、その日に限って二つの忘れ物をしてしまいました。一つは仏陀のお守り。それは、鎖に三つの仏陀像がぶら下がっているもので、いつもは首にかけてから出かけていました。もう一つは護身用の拳銃でした。

結局、その日、ブア・カイは教壇に立つことはありませんでした。通勤の途中に背後から頭を撃たれ、まもなく息を引き取ったのです。弾丸は左の後頭部から入り、左目の上から抜けていました。享年36歳でした。

先生ごっこをする子ども

ブア・カイが死んでから8年ほど経った頃、ノン・ラ・コンという小さな村で3歳の男の子が友だちと遊んでいました。男の子は1967年10月10日生まれのチャナイ。両親が出稼ぎに行っているため、養鴨場を経営する祖母の元で暮らしていました。

チャナイには生まれつき二つの母斑がありました。一つは左の後頭部。そこは周りの頭皮より色が濃くなっていて毛が生えていませんでした。もう一つは左の目の上。左の後頭部よりも少し大きい母斑でした。

「俺は先生なんだぞ！」

遊んでいたチャナイが、友達にそう宣言するのを、祖母は耳にしました。チャナイはさらにこう付け加えました。

「前もそうだったんだからな！」

チャナイのこの発言が重大な意味を持つことに祖母が気付いたのは、それから半年経ってからのことでした。

チャナイが「お父さんとお母さんのところへ連れてって！」と言ったのですが、それが出稼ぎに行っている両親のことでないことはすぐに分かりました。チャナイが続けてこう言ったからです。

「妻のところへ連れてって。名前はスアンて言うんだ。子どもたちのところへ連れてって！　僕は『ブア・カイ』って呼ばれてたんだ。鉄砲で撃たれて殺されたんだ。お父さんの名前はキアン、お母さんの名前はヨン。カオ・プラに住んでたんだ。ねえ、カオ・プラに連れてってよ」

チャナイの言う「カオ・プラ」は、チャナイと祖母の住むノン・ラ・コンの30キロあまり南にあるバン・カオ・プラのことのようです。それからというもの、チャナイは連日のように「カオ・プラに連れてって」とせがむようになりました。

半年後、要求の激しさに折れた祖母は、チャナイをバン・カオ・プラに連れて行くことにしました。バン・カオ・プラに行くには、ノン・ラ・コンから25キロほど南にあるバン・カオ・

サイまでバスで行き、そこから5キロあまり歩かなければなりません。二人がバン・カオ・サイでバスを降り、しばらく歩いて行くと、チャナイは祖母を一軒の家に連れて行きました。自分の家はここだ、と言うのです。チャナイの話を信用しきれない祖母は恐る恐る挨拶をしました。

家に入ったチャナイは、たちまちのうちに、何人もの人たちの中からブア・カイの父母を見つけ、「お父さん、お母さん」と声をかけました。

見ず知らずの3歳半の男の子にいきなりそう呼びかけられたブア・カイの両親は戸惑いました。母親は、チャナイを試そうと、5～6個の弾薬帯を持ってきてこう言いました。

「どれがブア・カイのだったか分かる？　もしちゃんと選ぶ事ができたら、息子の生まれ変わりだと認めてあげる」

チャナイが失敗するのではないかという祖母の心配をよそに、チャナイは、ためらうことなく弾薬帯の一つを選んで言いました。

「これだよ、お母さん！」

それはまさしくブア・カイの弾薬帯でした。母の目に涙が溢れました。そして、とがめるようにチャナイに言いました。「どうして、自分たちの所に生まれ変わってこなかったの？　どうしてそんな遠くに生まれてきちゃったの？」

チャナイは3歳半の乏しい語彙力を必死に駆使して説明しました。

「どこに生まれるかは、選べないんだよ」

ブア・カイが可愛がっていた双子の娘の一人、ティムを見つけると、チャナイは喜びのあまり泣きそうになりながら「お父さんだよ」と声をかけました。17歳のティムは、3歳半の男の子にそう言われて戸惑うばかりでした。

チャナイは、もう一人の娘のトイを見つけると、「怒りっぽいところはなおったかい?」と父親のような態度で声をかけました。トイの性格は、チャナイの指摘した通りでした。

チャナイの頭部に母斑があったことも、家族たちを驚かせました。ブア・カイの妻のスアンは、夫の頭を貫いた弾丸の入り口は左の後頭部で出口は左の目の上だったことを記憶していました。一般に銃創は入り口よりも出口の方が大きくなりますが、チャナイの二つの母斑もそれと一致するような大きさの違いがありました。

こうして、最初は半信半疑だったブア・カイの家族も皆、チャナイをブア・カイの生まれ変わりとして受け入れるようになりました。それからチャナイの過去生の家への訪問が始まりました。チャナイは、かつてブア・カイがそうしたように、ティムとトムのところに行く時には、サトウキビを持って行きました。

チャナイが双子の娘たちと一緒にいた時のことです。ブア・カイの旧友で警官のサン・アムが姿を見せました。チャナイはサン・アムと会うのはこれが初めてでした。娘たちがサン・アムを呼んで、チャナイに「この人を知っているか」と尋ねると、チャナイは「サン・アムだ。友達だよ」と答えました。この時、チャナイは5～6歳でした。

チャナイの大人びた態度

ブア・カイの娘たちに「お父さん」と呼ばせたこと以外にも、チャナイは様々な場面で大人のような態度を示しました。ある時、ブア・カイの妻のスアンが、結婚後も浮気を続けていた元夫のことをほのめかしながら皮肉たっぷりにこう言いました。

「前のあなたは随分と女性にだらしなかったけど、今度もそうなのかしら？」

これに対して、チャナイはこう答えています。

「こりごりだよ。もう浮気はしない」

同じ年頃の子どもと比べると明らかにチャナイには威厳がありました。ブア・カイの両親を訪問中、家にいたブア・カイの甥たちに「母のために床を掃除しろ」とチャナイが命じると、みんな素直に従いました。甥たちはチャナイのこと「おじさん」と呼び、恭しい態度で接しました。

「再会」の後、しばらくは時折、過去生の家族に会いに行っていたチャナイでしたが、父親が反対するようになり、チャナイが小学5年生になった1978年にはかつての家族との交流は途絶えました。チャナイは、1985年、17歳の時に結婚し、1986年にスティーブンソンが面接した時には、真面目に電話関係の仕事に従事するよき家庭人になっていました。

チャナイが語った死んでからのこと

チャナイは死んだ直後の記憶について、次のように語っています。

「魂が体から抜けていくのを感じたんだ。自分が道路に倒れているのも見えた。足がまだぴくぴく動いていて、血が道路に流れ出していたんだ。それから、色々な場所に行ったんだけど、どこに行ったかは思い出せない」

また死後の世界について次のように語っています。

「罰だと言って服を全部脱がされて、蓮池に連れて行かれたんだ。蓮の中を歩いて行かなきゃならなかった。とても苦しくて辛かったけど、何とか最初に池に入った場所までたどり着いたら、そこで服を返してくれた。それから二人の男と一緒に長い距離を移動したんだ。やがて男たちが「お前と一緒にいるのはここまでだ。お前は今から生まれ変わるのだ」と言うと、意識がなくなってしまったんだ。

【データベースの分析】　生まれ変わりで人格は向上するか

過去生では犯罪に手を染め、問題の多かったチャナイですが、スティーブンソンが最後に面接した時点では家庭を持ち、安定した職業についていました。「犯罪性」という点では（面接の時点までで判断する限りでは）、チャナイには人格の向上が見られたように思われます。

研究所のデータベースでは、中心人物がある程度成長していて判断が可能な場合に、次のような性格・習慣に関する情報が記録されています。

（1）富に固執するか
（2）犯罪性を示すか
（3）博愛主義的か（寛大か）
（4）宗教に熱心か

（5）瞑想を実践しているか
（6）高徳か（聖人のようか）

これらの性格・習慣については、十分な情報が得られた場合には、過去生の人物についても記録がなされています。

そこで、中心人物と過去生の人物の両方に記録がなされている場合には、両者を比べ、生まれ変わりによって人格に変化があったのかを調べることが可能です。もし変化があった場合、（1）と（2）については、より程度が低くなっていれば「進歩」、（3）～（6）についてはより程度が高くなっていれば「進歩」とみなして、向上が見られるのかどうかを確認してみましょう（別の解釈、例えば「富への固執」については「増す」方が人格的向上だとお考えの方は、以下の「進歩」を「退歩」と置き換えてお読みください）。

データベースを検索した結果は次の通りです。どうやらデータで見る限りでは、一律に向上している、とか逆に後退しているとは言えないようです。

（1）富への固執

進歩：18
退歩：11
変化なし：35

	過去 とても強い	過去 強い	過去 普通	過去 弱い	過去 とても弱い	合計
現在 とても強い	7	6	0	0	0	13
現在 強い	7	14	4	0	0	25
現在 普通	0	4	7	1	0	12
現在 弱い	2	4	0	6	0	12
現在 とても弱い	0	1	0	0	1	2
合計	16	29	11	7	1	64

（2）犯罪性

進歩：23
退歩：9
変化なし：48

	過去 とても強い	過去 強い	過去 普通	過去 弱い	過去 とても弱い	合計
現在 とても強い	3	0	0	0	0	3
現在 強い	8	16	1	0	0	25
現在 普通	1	2	1	1	1	6
現在 弱い	3	2	2	17	6	30
現在 とても弱い	1	2	0	2	11	16
合計	16	22	4	20	18	80

（3）博愛主義的・寛大

進歩：3
退歩：13
変化なし：39

	過去 とても強い	過去 強い	過去 普通	過去 弱い	過去 とても弱い	合計
現在 とても強い	6	2	0	0	0	8
現在 強い	7	22	0	1	0	30
現在 普通	0	2	9	0	0	11
現在 弱い	1	0	3	1	0	5
現在 とても弱い	0	0	0	0	1	1
合計	14	26	12	2	1	55

（4）宗教に熱心か

進歩：27
退歩：28
変化なし：112

	過去 とても熱心	過去 熱心	過去 普通	過去 不熱心	過去 とても不熱心	合計
現在 とても熱心	20	9	2	1	0	32
現在 熱心	11	77	9	3	1	101
現在 普通	2	7	13	1	0	23
現在 不熱心	0	7	1	2	1	11
現在 とても不熱心	0	0	0	0	0	0
合計	33	100	25	7	2	167

(5) 瞑想の実践

進歩：5
退歩：8
変化なし：25

	過去 とても熱心	過去 熱心	過去 普通	過去 不熱心	過去 とても不熱心	合計
現在 とても熱心	13	2	0	0	1	16
現在 熱心	5	1	0	0	0	6
現在 普通	1	0	3	1	0	5
現在 不熱心	0	0	0	8	1	9
現在 とても不熱心	1	0	0	1	0	2
合計	20	3	3	10	2	38

(6) 高徳性

進歩：1
退歩：7
変化なし：33

	過去 とても強い	過去 強い	過去 普通	過去 弱い	過去 とても弱い	合計
現在 とても強い	13	0	0	0	0	13
現在 強い	3	9	0	1	0	13
現在 普通	0	0	3	0	0	3
現在 弱い	0	3	0	8	1	12
現在 とても弱い	0	0	1	0	0	1
合計	16	12	4	9	1	42

過去生の妻との再婚　ミャンマーのエイ・ジョウの事例

ビルマ（現ミャンマー）に住むエイ・ジョウは、19歳の時、ラ・ミィンという女性と結婚しました。この時、新婦のラ・ミィンは39歳。しかも、既に二人の夫を亡くしていて、これが三度目の結婚でした。若い男が、20歳も年上の未亡人と結婚する。この結婚話を聞いた人たちはみな不審に思いました。しかし、その裏には、魂の絆の強さ・不思議さを感じさせる物語があったのです。

1952年5月生まれのエイ・ジョウの住まいは、タダ・ウのすぐ西の小さな村ウ・イン・ユワにありました。エイ・ジョウが3、4歳の頃、村に野菜を売りに来た女性がタダ・ウから来たことを知ったエイ・ジョウは、「一緒にタダ・ウに連れてって」と言いました。

驚いた女性が理由を尋ねると、エイ・ジョウは「お父さんとお母さんがいるんだ」と答え、その名前も告げました。

タダ・ウに戻った野菜売りの女性は、ウ・イン・ユワの村で出会った少年のことを話しました。この話が、エイ・ジョウが「両親だ」と言っていた夫婦の耳にも入り、息子のアウン・キンが様子を見にエイ・ジョウの家にやって来ました。

「アウン・キン！」アウン・キンを目にしたエイ・ジョウは叫びました。４歳の男の子が成人男性に向かって敬称の「マウン」も付けずに名前を呼び捨てにすることは普通ではありません。エイ・ジョウはアウン・キンに抱きつくと、自分は兄のシュエだと語り、「どうしてお母さんは来なかったのか」と尋ねたのです。

エイ・ジョウが語るシュエの最期

ビルマは１９４８年にイギリス連邦から独立したものの、すぐに共産党やその他の武装組織との闘争に直面しました。共産党の武装蜂起は、１９４９年から１９５１年にかけて、タダ・ウを席巻しました。シュエは、この頃にタダ・ウに住んでおり、警官をしていました。

ある夜のこと、近くの仏塔に仏像を奉納する行事に来るはずのシュエが、姿を見せませんでした。誰もが「何かあったに違いない」と直感しました。

次の日の朝、セイク・キポーク湖でシュエの遺体が発見されたという情報が入りました。享年18歳、死亡推定日は１９５１年7月3日でした。そして後には結婚して間もない妻ラ・ミィンが残されました。

シュエの生まれ変わりだと主張するエイ・ジョウは、シュエの最期について、次のように語っています。

「その夜、同僚とパンタイ橋をパトロールしていたんだ。同僚が用事でその場を離れた時、知り合いが数人やって来て、近くの村を荒らしていた強盗を捕まえたから来てくれと言ったので、信用して付いて行ってしまったんだ。橋から1キロ半ほど離れたところで後ろから突然首を刺されて気を失ってしまった。僕が死んだと思った一味は、意識を失った僕を、もう一度パトロールしていた現場まで引きずって来たんだ。橋まで来た時、意識を取り戻した僕がうめき声を上げたので、男たちの一人が銃を抜いて僕の頭に向けて発射した。銃口を向けられた時、仏塔に仏像を寄進しなきゃいけなかったということを思い出していたんだ」

エイ・ジョウの左耳の上には細長い大きな母斑があり、その部分だけ毛が生えていませんでした。その部分を指して「ここを撃たれたんだ」とエイ・ジョウは語っています。

ラ・ミィンとの「再会」

夫シュエの死後、ラ・ミィンは、タダ・ウから北西に32キロほど離れた故郷ニャ・ズンに戻りました。

エイ・ジョウが6、7歳の頃、タダ・ウでラ・ミィンの知人の結婚式がありました。式に参加したラ・ミィンは、かつての夫の生まれ変わりだというエイ・ジョウの話を耳にして興味を持ち、女性の友人たちと一緒にエイ・ジョウの家を訪れました。この時、エイ・ジョウは友人たちとサッカーをして遊んでいました。

ラ・ミィンの友人の中の誰かが「エイ・ジョウ、奥さんが来たわよ！」と声をかけました。すると、エイ・ジョウは、女性たちの中からラ・ミィンを見つけだし、駆け寄って彼女を抱きしめ、涙を流して「再会」を喜びました。

しかし、ラ・ミィンの方は、懐かしい気持ちと同時に、申し訳ない気持ちも感じていました。既に故郷で、ある兵士と再婚してしまっていたからです。

それからというもの、エイ・ジョウは何度も何度も家族に「ニャ・ズンに連れて行って」とせがみました。しかし願いは聞き入れられませんでした。

ラ・ミィンへの想いを胸に抱きながら成長したエイ・ジョウは、18歳の時に移動式の簡単な美容院を開きました。その頃、噂でラ・ミィンの二番目の夫が戦死したらしく、残されたラ・ミィンはビルマの麺料理チャプスイの店を出していることを聞きました。

ある日のこと、エイ・ジョウが店を開こうとすると、自分たちの場所が別の店舗に占領されていることに気付きました。

「どこの者だ。ここはうちの店の場所だぞ！」

エイ・ジョウが、そう声をかけると店の男たちは「ニャ・ズンの者だ！」と返しました。

それを聞いたエイ・ジョウは男たちに場所を譲って違う所に店を出し、男たちの一人に尋ねました。「ニャ・ズンから来たのなら、ラ・ミィンさんを知らないか」

「ああ、4、5人はいるからなあ、どのラ・ミィンさんだい」

「チョプスイの店をやっていて、少し前に兵士の旦那さんを亡くしたラ・ミィンさんだ」

「ああ、それなら俺の家の近くに住んでるよ」

「俺もよく知ってるぜ！」別の男が叫びました。

「それなら、俺の写真を渡して欲しいんだが、これを持って行ってくれないかな」

「何でそんなことするんだ。写真を渡すなら若い娘だろ。ラ・ミィンさんは未亡人だぞ」

エイ・ジョウが、彼らに自分の生まれ変わりの話をすると、男たちは感激して言いました。

「そういうことなら、写真を預かるよ。ニャ・ズンに来たら、俺たちの所にも来いよ」

その後、まもなく、エイ・ジョウはラ・ミィンと「再会し」、二人は結婚しました。その後、二人の間には子どもも生まれています。

【データベースの分析】　中間生記憶の詳細と生まれ変わりに要する期間

第四章で示したように、過去生で死んだ後、次に受胎するまでの記憶を「中間生記憶」と呼びます。シュエの生まれ変わりだと主張するエイ・ジョウの死んだ後の記憶は、この中間生記憶だということになります。

データベースでは、「中間生記憶」はさらに、「葬儀（あるいは、死体の取り扱い）の様子を記憶しているか」「葬儀（あるいは死体の取り扱い）以外の地上の出来事を記憶しているか」「例えば天国のような、地上以外の出来事を記憶しているか」に分けて入力されています。

エイ・ジョウは、「葬儀（など）以外の地上の記憶」を持っていました。最初に紹介した勝五郎は、「葬儀

中間生記憶の詳細

遺体処理の記憶		合計
あり	なし	
177 (25.5%)	518 (74.5%)	695

遺体処理以外の記憶		合計
あり	なし	
224 (24.4%)	695 (75.6%)	919

地上以外の記憶		合計
あり	なし	
212 (23.6%)	686 (76.4%)	898

（など）の記憶」「葬儀（など）以外の地上の記憶」「天国のような地上以外の出来事の記憶」の三つの記憶を持っていました。データベースでは、それぞれの記憶があるかどうかの件数と割合は前頁の表のようになっています。

研究所の主な調査対象が過去生記憶なので、面接の際、必ずしもそれ以外の記憶について尋ねているとは限りません。前頁の表の数値は、記憶の有無について尋ねた場合のみの数値です。そのため、全体の数値はデータベースの総数である2030よりかなり低くなっています。

過去生の人物の死から次の生の誕生までの時間（「中間生」＋「胎内」の期間）、つまり生まれ変わりに要する期間はどれくらいなのでしょうか。

データベースに収録されている、過去生の人物の死亡年が明らかになっている1205例に基づいた数字は平均54・3カ月（4年5カ月）となっています。

物騒な双子　スリランカのシバンティとシェロミの事例

「立ってオシッコするんじゃありません！」

母親を困らせているのは、3歳の双子の女の子、シバンティとシェロミ。1978年11月生まれの二人は、6人兄妹の末の二人でした。シバンティは色白で背は低くずんぐりしています。一方、シェロミは色黒で背は高く細身です。二人は母親が何度言っても、立ってオシッコをすることをやめません。双子の変わった「癖」はそれだけではありません。

男の子の服を着たがります。男性が髭を確かめるように、あごに手を当ててなでる仕草をします。棒切れを口にくわえて、まるでタバコを吸うような仕草をします。

二人は、自分たちが大人の男だと思っているのです。それも、かなり物騒な男たちのようで、粘土を丸めて遊んでいた二人に祖母が「何を作ってるの？」と声をかけた時に返ってきた答えは、なんと「爆弾」。

二人には恐怖症もありました。大きな音と、警察官が怖かったのです。

過去生の話を始めたのは、色白で背が低いずんぐり体型のシバンティが先でした。言うことを聞かないシバンティに対して母親が「あんまりしつこいと叩くわよ」と叱ると、「叩くんならお家に帰る！」と返したのです。

「どこにお家があるのよ？」と尋ねると、「ゴール（地名）」と答えました。

次の日には「お父さんとお母さん、妹がいる」と言いました。シバンティたちは末っ子にもかかわらずです。

シバンティはやがて、自分の名前がロバートだということ、相棒のジョニーと洞窟に隠れていたこと、パンを一緒に食べたこと、カラスが食べかけたマンゴーを一緒に食べたこと、二人とも捕まって手錠をかけられたことなどを話しました。

シバンティが過去生の話を始めて少し経った頃、色黒で背が高く細身のシェロミも過去生の話をするようになりました。名前はジョニー。相棒のロバートと行動していた。パンを一緒に食べた。警察官に捕まった時にはバスに乗っていた、というもので、二人の記憶はぴったり合いました。

また、二人は、自分たちが死んだ時の状況もよく覚えていました。

シバンティの右胸には直径2センチほどの母斑がありました。その母斑を指差しながら、シバンティはロバートの最期についてこう語ったのです。

「海に飛び込もうとしたの。そしたら、ここを撃たれたの」

一方、シェロミは、ジョニーの最期について、こう語っています。

「最初に連れて行かれた所には、死んだお巡りさんが袋に入ってた。次に連れて行かれた所では、死んだお坊さんが袋に入ってた。それから、ひどい目に遭わされて、首つりにされたの。首がとても痛かった。ベンチに血が垂れてるのが見えたわ。それから身体に何かを塗られて焼かれたの」。

双子姉妹の過去生は反体制運動の同志

ジョニーとロバートは幼なじみでした。二人とも生まれはゴールから南東へ4・5キロほど下ったウナワトゥナ。1945年生まれのジョニーは、ロバートより一つ年上でした。二人は無二の親友で、まるで双子のように、いつも行動を共にしていました。ジョニーにもロバートにもまったく女性の影が無かったことから、二人は同性愛者で恋人同士ではないかと思われていました。

1971年、スリランカの各地で人民解放戦線が中心となった暴動が起こりました。真の社会主義国家建設を夢見た青年層が革命を起こそうと立ち上がったのです。ジョニーは、ゴール地域の暴動の指導者で、ロバートはその補佐役でした。

二人は海沿いのロマサラ丘に潜伏し、仲間たちと一緒に、暴動に備えて武器を蓄えていました。この動きを察知した警察は隠れ家を襲撃しましたが、警察が踏み込んだ時にはジョニーとロバートの姿はすでにありませんでした。しかし、その後、おそらく密告によって行動がばれ、ゴールのバス停にいるところを逮捕されてしまいました。

警官たちはロバートに隠れ家まで案内をさせました。後ろ手に手錠をかけられたロバートが海沿いのロマサラ丘への道を歩いて行きます。

突然、ロバートは振り返ると警官の一人を蹴り上げ、もう一人に頭突きを食らわせました。それから海の方に向かって駆け出し、崖から飛び降りたのです。警官の一人があわてて銃を抜き、ロバートに向けて発射しました。右胸を射抜かれたロバートは崖から転落し、海中に没しました。ロバートに欺かれた警官たちは激怒し、取調室に戻ると、暴動の首謀者であるジョニーを激しく殴打しました。間もなくジョニーは息を引き取りました。

ジョニーの遺体は脚を縛られ、警察署の梁から逆さに吊るされました。数日後、ジョニーの遺体はガソリンをかけられた後、火をつけられ、処分されました。1971年4月19日のことでした。

双子の両親とロバート、ジョニーとの関係

双子の両親は、ロバートとジョニーのことを知っていました。父親はジョニーと同じ小さな工場で働いていました。職場は違いましたが、一緒に昼食をとることはありました。結婚式の時に30人いる従業員の中の4人を招待しましたが、その内の1人がジョニーでした。ロバートとは彼がジョニーに会いに職場に来る時に話す程度の付き合いでしたが、それでも結婚式には招待しています。したがって、ジョニーとは深い付き合いが、ロバートともそれなりの

付き合いがあったと言えるでしょう。

しかし、ある程度の付き合いがあったからと言って、ジョニーとロバートの最期の状況を双子が知っているはずもありませんし、二人の乱暴な振る舞いについては全く説明がつきません。しかも、テロリストとして処刑された二人が、双子の娘として生まれ変わって来たという話は、反体制運動に身を投じる気などない両親にとって、必ずしも嬉しい話であるとは言えないでしょう。このような点を考えると、過去生の人物たちと現在の家族の間に付き合いがあったとはいえ、この双子の事例は、「生まれ変わり」を示唆する強力な事例の一つではないでしょうか。

なお、その後、双子は次第に過去生の記憶を無くし、11歳の面接調査の時（1990年）には、警官に対する恐怖症もなくなっていました。また、幼い時期に見せた「男性らしいところ」もすっかり消えていました。

【データベースの分析】　性転換事例

シバンティとシェロミのように、中心人物の現在の性が過去生の性と異なる事例を性転換事例と呼びます。性転換事例では、中心人物がこの双子のように、異性に特有の振る舞いを見せることがあります。また、異性の服を着たがることもあります。研究所のデータベースでは、異性に特有の振る舞いを見せた例が１０８、異性の服を着たがった例が43、記録されています。

性同一障害が過去生記憶とどれだけ関係しているのか現状では知る由もありませんが、性転換事例の中心人物のほとんどが記憶を無くすと同時に現在の性に順応していくことから、成人の性同一障害で過去生記憶が関係していることは少ないのかも知れません。

過去生の娘への手紙　レバノンのスージーの事例

「レイラ」それがスージーの初めて話した単語でした[15]。

「もしもし、レイラ！　もしもし、レイラ！」それがスージーの初めて話した二語文でした。受話器を手に、何度も話しかけます。１９７２年３月21日生まれのスージーが１歳と４カ月の頃です。

家族にレイラという名前の女性はいません。両親は誰のことを言っているのか、なぜ電話で話そうとしているのか、見当もつきませんでした。

少し大きくなると、スージーは言いました。

「レイラは私の娘。私の名前はハナンなの」

スージーの言葉に両親の困惑は深まるばかりです。

それからしばらくして、スージーは次々に他の名前を繰り返すようになりました。

「息子の名前は……、娘の名前は……、夫の名前は……」

この頃にスージーが挙げた名前は13にものぼります。

ある日のこと、自宅に招かれた客の一人が「ノーラ」という名前を口にしました。それを聞いたスージーは興奮して叫びました。

「ノーラ！　ノーラは兄のお嫁さんよ！」

それから兄の名前がナビーで、飛行機事故で亡くなったことを話したのです。

1975年、スージーの住むレバノンで内戦が勃発しました。15年も続く、激しい戦乱の始まりでした。

「子どもたちは大丈夫かしら…」戦闘のニュースを耳にした3歳のスージーは、過去生の子どもたちの身を案じておろおろするばかりでした。

しばらくして、スージーが「前の家の電話番号を思い出した」と言うので、両親はその番号に電話をしてみました。しかし、つながりませんでした（最後の2桁を逆に覚えてしまっていたことが後日判明)。

ある日スージーは、ベネズエラに住むレイラの住所を思い出しました。レイラは、レバノンから届いたスージーの手紙に仰天しました。

「私はあなたのお母さんです。名前はスージー。シュワイファトに住んでいます。返事をください」

手紙にはスージーの写真が添えられていました。レイラはベイルートにいる姉と父に手紙のことを告げました。

次の日、レイラの妹と弟、そしてハナンの夫のファロークがスージーのところにやって来ました。スージーは4歳と8カ月になっていました。今回の話には3人とも懐疑的でした。ファロークたちの一族は大変裕福でレバノンの名家と言ってもいい存在でしたので、スージーの件は「自分たちの財産を狙った詐欺ではないか」と疑っていたのです。

「やっぱり本物だ!」

3人がそう確信したのは、スージーがレイラの姉と弟にこんな話をした時です。

「おじさんから宝石を受けとった? 私が死んだら二人に渡すようにって言っておいたんだけど」

これはハナンの二人の娘と息子、つまりベネズエラのレイラと今スージーの目の前にいるレイラの妹と弟の3人しか知らないはずのことだったのです。二人は実際、おじ、つまりハナンの兄から宝石を受けとっていました。

つながらなかったハナンの電話

16歳でファロークと結婚したハナンは、結婚1年後に長女のレイラを、その2年後に次女を出産しました。その後、心臓病を患いますが、医者の反対を無視して長男を出産しました。その後、スージーが言っていたように、兄のナビーを飛行機事故で亡くしました。事故の後、ハナンの病気が悪化したため、アメリカのバージニア州、リッチモンドで手術を受けることになりました。

アメリカに向かう途中、ハナンは、ベネズエラに住んでいた長女レイラの元に立ち寄りました。レイラは、母が受ける危険な手術に立ち会うため、アメリカに同行することになっていました。ところが、レイラは運悪くパスポートを無くしてしまい、母の手術の日までにアメリカに入国することができませんでした。

手術の前、ハナンは何度もレイラに電話をかけようとしましたが、つながりませんでした。

手術の翌日、ハナンは、合併症で他界しました。ハナンを看取った兄によれば、彼女はこう呟いて息を引き取りました。

「レイラ…」

1972年3月11日のことでした（※ハナンの家はイスラム教のドゥルーズ派でしたが、ドゥルーズ派の人たちの間では、魂は死後すぐに別の肉体に宿ると考えられています。スージーはハナンが他界した10日後に生まれています）。

「過去生記憶」の哀しみ

ハナンの家族は、スージーをハナンの生まれ変わりとして完全に受け入れました。しかし、スージーにとって懐かしい家族との交流は必ずしも楽しいことばかりではありませんでした。スージーがファロークの家を訪れる時には「かつての夫」の膝の上に座り、頭を胸に埋めてとても幸せそうでした。ところが、ある時スージーは不穏な噂を耳にしました。ファロークが再婚しているというのです。

ファロークの再婚が本当であったことを知った時のスージーの反応は大変なものでした。最愛の恋人に捨てられた女性のように泣き叫び、しばらくは手がつけられませんでした。

それでもスージーはファロークへの電話を欠かさず、ファロークの家を訪問するのもやめませんでした。

１９９７年にスティーブンソンがレバノンを訪問した時、25歳になったスージーは、ファロークとの交流を続けていました。電話の回数は週に１、２度、訪問は月に１、２度に減ってはいましたが。

「過去生を記憶しているのはいいことでしょうか？」

このスティーブンソンの質問に対し、スージーはこう答えています。

「ええ、いいことだと思います。私がこうして生きていることを知って前の家族は安心しましたし、私も前の家族と再会して安心しましたから」

【データベースの分析】　過去生記憶はいいことか

過去生記憶を語る子どもたちは、記憶を持っていることについて肯定的な意見を持っているのでしょうか、それとも否定的な意見を持っているのでしょうか。この点について検索した結果は以下の通りです。

半数は肯定的とも否定的とも捉えていないようですが、肯定的な意見と否定的な意見はおよそ４分の１ずつで拮抗しています。

過去生記憶を持っていることをどう思うか

役に立っている	不快（有害ではない）	有害である	何とも思わない	合計
84 (26.4%)	71 (22.3%)	8 (2.5%)	155 (48.7%)	318

※幼すぎてコメントできない413件を除く

【データベースの分析】　社会的地位・経済的地位の変化

過去生では社会的にも経済的にも非常に恵まれた家庭で暮らしていたスージー（ハナン）は、現在は中流の家庭で暮らしています。

生まれ変わりがあるとしたら、社会的地位や経済的地位は向上するのが普通なのでしょうか。それとも、スージーの例のように後退するのが普通なのでしょうか。もし社会的地位が向上したり後退したりするとしたら、それは過去の行いと関係があるのでしょうか。データベースはそんな疑問に一応の答えを出してくれます。

研究所のデータベースでは、社会的地位や経済的地位が「上の上」「上の中」「上の下」「中の上」「中の中」「中の下」「下の上」「下の中」「下の下」の９段階に分けて記録されています。

過去生の人物と中心人物を比べてみると、次のようになります。

ちょっと残念な結果ですが、少なくともデータベースからは、向上よりも後退のケースの方が多いようです。

社会的地位

向上：124
後退：235
変化なし：294

現在＼過去	上上	上中	上下	中上	中中	中下	下上	下中	下下	合計
上上	2	2	0	0	1	0	0	1	1	7
上中	3	35	0	3	13	3	4	3	0	64
上下	1	3	8	2	3	1	1	1	0	20
中上	1	10	2	20	13	4	3	6	1	60
中中	10	23	7	19	104	8	6	22	4	203
中下	6	9	5	14	13	38	5	3	3	96
下上	1	2	4	3	6	9	10	4	1	40
下中	2	11	2	12	22	8	9	60	2	128
下下	3	1	0	2	8	0	1	3	17	35
合計	29	96	28	75	183	71	39	103	29	653

経済的地位

向上：97
後退：271
変化なし：216

現在＼過去	上上	上中	上下	中上	中中	中下	下上	下中	下下	合計
上上	0	1	0	0	1	0	0	0	1	3
上中	3	16	0	0	7	3	1	1	0	31
上下	1	2	3	0	2	1	0	0	0	9
中上	2	9	6	22	17	6	2	2	1	67
中中	8	27	6	24	82	15	2	2	6	172
中下	6	10	2	20	24	62	6	6	4	140
下上	1	2	2	5	4	10	7	7	1	39
下中	2	11	6	9	35	8	6	6	2	85
下下	1	3	1	2	11	0	1	1	18	38
合計	24	81	26	82	183	105	25	25	33	584

予言と夢　アラスカのトリンギト族・コリスの事例

「次は、お前の息子として生まれて来るよ」

死期が迫ったビクトルは、どもりながら、そう言いました。

「今度は、今みたいにどもらないといいんだが」

それから、シャツをたくし上げて背中を見せました。ビクトルの背中には、正中線から右に少し離れた場所に2センチほど斜めに走る傷跡があります。数年前に胸膜炎の手術をした時のもので、縫い針の通った痕がはっきりと見えます。

「こいつが目印だよ」

さらに、涙腺の手術をした時の、鼻の右横の傷跡を指差して「それからこいつも」と言いました。

ビクトルの話し相手は姪のイレーヌ、姉ガートルードの娘です。二人ともアラスカのトリンギト族でした。アラスカ州のアングーンに住むビクトルは、50キロほど離れたシトカにある姪の家に遊びに行くのを楽しみにしていました。イレーヌの家族はいつもビクトルを温かく迎えてくれたのです。

「お前はとってもいい母親だ。他の連中みたいに飲み歩いたりしないしな」

ビクトルの家族の何人かはアルコール依存症だったのです。

「それに、姉さんともう一度一緒になれる」

ビクトルの姪のイレーヌには娘がいました。この娘は、ビクトルの姉ガートルードの生まれ変わりだと考えられていたのです。ビクトルがイレーヌの息子として生まれ変われば、大好きな姉ともう一度、姉弟（きょうだい）になれるのです。そんな想いを抱きながら、１９４５年、ビクトルは69歳で亡くなりました。

叔父のビクトルが亡くなって18カ月ほど経った１９４７年12月15日、イレーヌは男児を出産し、コリスと名付けました。コリスを産む少し前、イレーヌはビクトルの夢を見ました。夢の中でビクトルは「お前たち家族のところに行くよ」と言っていました。

ビクトルの手術跡と同じ場所に母斑のあるコリス

コリスには目立つ母斑が二つありました。一つは鼻の右横。もう一つは背中でした。背中の母斑は盛り上がり、縫い痕のような穴が空いていました。どちらの母斑も、ビクトルの手術跡と同じ場所にありました。

イレーヌは、コリスが叔父ビクトルの生まれ変わりであることを確信しました。叔父は予言通り、目印として二つの手術跡を持ったまま生まれてきたのです。

また、コリスには吃音がありました。「今度は今みたいにどもらないといいんだが」と言ったビクトルの願いは叶わなかったようです。しかし、コリスはスピーチ・セラピーを受け、この問題を克服することができました。

ビクトル同様に船が大好きなコリス

コリスが3歳の時、母イレーヌがコリスをトリンギト族の集会に連れて行ったことがありました。

「ああ、ローズが来てる！」そう言ってコリスが指したのは、ビクトルの妻で未亡人のローズでした。続けてコリスはかつてビクトルがローズを呼んでいたように言いました。

「かみさんが来てるよ」

コリスはまた、コリスが絶対に知らないような、こんなビクトルの話をしました。

「沖で船が動かなくなっちまった。このままじゃまずいってんで助けを求めようとしたんだ。『北極星号』が通りかかったから、その船に助けを求めようとしたんだけど、漁師の服のままじゃ、気付いてもらえないかも知れない。船には救世軍（各種の慈善事業を行うキリスト教団体）の制服が置いてあったから、それに着替えて、救命ボートに乗って助けを求めたんだ」

ビクトルは無類の船好きでした。機械にも詳しく、操縦も巧みでした。「船の上で生活していたい」と公言するほどでした。

コリスも大変な船好きでした。船で海に出かけるのが大好きでしたし、船のエンジンについては何でも知っている、そんな印象を与えました。コリスの知識は父親から譲り受けたものでは有り得ません。機械音痴の父親は、船のエンジンについては全く何も知らなかったからです。

北米先住民族に見られる生まれ変わり現象

北米の先住民族には生まれ変わり信仰は広く見られます。特にアラスカ周辺のトリンギト族、ハイダ族、ツィムシァン族、といった民族の間では、生まれ変わりの証拠を伴う再生型事例がたくさん見つかっています。これらの民族の事例には、（1）過去生の人物が亡くなる前に自分の生まれ変わりを予告する、（2）近しい人がその人が生まれ変わってくるという夢を見る、という特徴があります。血縁関係（基本的には女系）のある家族の元に生まれ変わることがほとんどです。生まれ変わりが日常的な現象であるため、それを確認する手段が発達しています。部族によって多少の違いはありますが、主に次のような方法を組み合わせて、生まれ変わりかどうかの確認が行われます。

（1）予告夢：新しく生まれる子どもが誰なのかを告げる夢。夢を見るのは通常、母親か母親に近い女性
（2）母斑：故人の持っていた傷や母斑と関係した母斑
（3）その他の身体的特徴：顔や体格の類似など、母斑以外の身体的特徴
（4）振る舞い：故人に特徴的な振る舞い
（5）自発的な見分け：偶然見かけた故人に関係する人物や物品の見分け
（6）見分けテスト：故人に関係する人物や物品を見分けられるか確認するテスト
（7）発言：故人の人生について行う発言
（8）中間生記憶：故人が死んだ後、誕生までに生じた出来事に関する記憶
（9）シャーマンによる確認：新しく生まれた子どもが誰の生まれ変わりなのかを判断する専門のシャーマンによる確認

過去生の目印で本人を確認　ミャンマーのチョ・ニン・テトの事例

1975年8月26日のラングーン総合病院。家族も同級生も皆、悲嘆に暮れていました。人気者のライ・ライが、20歳の若さであの世に旅立ってしまったのです。

その2日後の8月28日、ライ・ライの葬儀が行われました。特に仲の良かった三人が、美しいライ・ライの亡骸を荼毘に付す準備を手伝いました。しかし「手伝う」と言ってはみたものの、朗らかだったライ・ライが声もなく横たわっている姿を見ると、涙が溢れてどうしようもありません。

「もう一度ライ・ライに会いたい」

心の叫びに応えるかのように、三人の頭の中に、ある考えが浮かびました。死んだ人に印を付けておくと、生まれ変わる時、同じ場所に印を付けて生まれてくると聞いたことがあります。ライ・ライの遺体に印を付けておけば、生まれ変わった時、その印で親友が帰って来たことが分かるかも知れません。生まれ変わってきた時、目立つ場所に印があっては可哀想です。相談の末、三人は口紅を使って、ライ・ライの首のうなじに印を付けました。そして三人は、何度も何度も祈りました。うなじに印が付いた赤ん坊が生まれてくることを。

ライ・ライの生涯

1955年生まれのライ・ライの心臓には、生まれつき、動脈管開存症と心房中隔欠損症という問題がありました。そのため、ライ・ライは、ベッドで過ごすことの多い生活を送っていました。勤勉ではありましたが、続けて学校に通うことができなかったため進級試験に二度落第し、20歳になってもまだ高校生でした。病気のため学校は休みがちでしたが、クラスの仲間にはとても慕われていました。

ライ・ライはとても信心深く、ベッドで寝ている時はいつも、数珠を手に念仏を唱えていました。

また、三人いる姉の中で一番上のキン・レイをとても慕っていて、男友達がやって来ると嫉妬し、いつも「お姉ちゃん、結婚しちゃダメだよ」と言っていました。

ライ・ライが20歳の時のことです。ラングーン総合病院の主治医が「手術で病状を改善できるかも知れない」と両親に伝えたのです。両親は手術に同意しました。手術はうまく行くはずでした。ところが、手術中に予期しない出来事が起こりました。機械に不具合が生じたのです。ライ・ライは手術室で息を引き取りました。

予告夢

ライ・ライがこの世を去って1カ月ほど経った頃、ライ・ライの家の近所に住む女性が夢を見ました。夢の中では、ライ・ライがベッドで眠る両親の間に横たわっていました。その女性がライ・ライを咎《とが》めるように「そんなところで何をしてるの」と尋ねると、「お父さん、お母さんと一緒に寝てるの」と答えました。女性が「そんな所に居ちゃダメよ。出て行きなさい」と言うと、ライ・ライはこう言いました。

「お母さんが毎日泣いてばかりだから、生まれ変わることができないの」

次の日、女性はライ・ライの母親のところに行って夢の話をしました。母親はハッとしました。ライ・ライが死んでから毎日泣き続けていたのです。

「ほらね。あなたが悲しみ続けてると、ライ・ライちゃん、帰って来れないわよ」

諭すように女性は言いました。

それから2カ月ほどして、ライ・ライが一番慕っていた姉のキン・レイがこんな夢を見ました。家族がタクシーに乗って、ライ・ライの亡骸を家まで運んで来ました。涙にむせぶ家族みんなの思いは同じでした。

「ライ・ライは死んでなんかいない！」

家族はライ・ライの身体を居間に横たえました。何故か母がゆりかごを揺らしていました。その動きに合わせるように、ライ・ライの身体が消え始めました。そして、ゆりかごの中に赤ん坊が現れました。見た目はライ・ライとは違います。でも、姉のキン・レイは「あの赤ん坊はライ・ライだ」と確信しました。

ライ・ライのすぐ上の姉のミント・ミントは何度も何度も同じ夢を見ました。ミント・ミントはこう語っています。「ライ・ライの亡骸が家に運び込まれるのを見ました。ライ・ライを居間に横たえると、生き返ったのです。起き上がったライ・ライは幸せ一杯に微笑んでいました。そしてこう言ったのです。『私は死んでなんかいないわ。帰って来たのよ』」

ライ・ライの帰還

ライ・ライの夢を何度も見たすぐ上の姉のミント・ミントは、ライ・ライが死んで1年1カ月ほど経った1976年9月27日、女児を出産しました。チョ・ニン・テトと名付けられたこの赤ん坊のうなじには、ライ・ライの親友が口紅を塗ったのと同じ場所に母斑がありました。

チョは1歳になる頃、言葉が話せるようになりました。

「名前は何ていうの？」そう聞かれた時の答えはいつも同じでした。

「ライ・ライ」

そして「チョ・ニン・テト」と呼ばれると腹を立て、「ライ・ライ」と呼ぶように要求したのです。両親は公に改名するまではしませんでしたが、本当の名前で呼ぶことをやめ、「ライ・ライ」と呼ぶようになりました。

チョが4歳の時、ライ・ライの親友だった三人のうちの二人がチョを見にきました。家に向かってやって来る二人の姿を見たチョは、「友達が来た！」と喜びました。

その3日後、チョの事例を調査していたスティーブンソンとその共同研究者が、ライ・ライの三人の友達の残りの一人であるミント・ミント・オーを連れて会いに来ました。宗教の違いから他の二人と疎遠になっていたためか（彼女はイスラム教徒、他の二人は仏教徒）、彼女はチョのことを知りませんでした。スティーブンソンたちの面接を受けたミント・ミント・オーは、チョの母斑の話を聞く前に、自分たちがライ・ライの遺体に塗った口紅の話をしています。

ミント・ミント・オーとスティーブンソンたちがチョの家につくと、一行は居間に案内されました。チョがミント・ミント・オーに会うのはこれが初めてです。スティーブンソンの共同研究者がミント・ミント・オーを指して「この人が誰だか分かるかい？」と尋ねると、すかさずチョは「ミント・ミント・オー！」と答えました。

事例の証拠性について

子どもが本当に本人が知らないはずのことを語ったのかどうか、家族内の事例の場合には、赤の他人の事例より、見極めが難しくなります。チョが語ったとされる内容は全て家族の誰かから聞いた可能性を否定できないのです。

しかし、チョ・ニン・テトの事例には、証拠性という点でとても強い部分があります。それはライ・ライの友達ミント・ミント・オーの存在です。

彼女はチョに会う前に自分たちがライ・ライの遺体に塗った口紅の場所について証言しています。したがって、口紅の位置について、チョの母斑の位置に合う様に偽って報告した、という可能性はなくなります。ライ・ライの友人たちが遺体のうなじに口紅を塗ったことは間違いない、と判断できます。つまり、口紅を塗った位置と母斑の位置が一致したことは間違いないということです。

さらに、チョがミント・ミント・オーを見分ける現場をスティーブンソンと共同研究者が目撃しています。彼らの報告を信用すれば(そして、それを疑う理由はないと思われますが)、チョが知らないはずの人物を知っていた、という点も間違いない事実でしょう。

ダライ・ラマの自伝や日本の物語に見られる実験的母斑

故人の生まれ変わりを確認するために付けられた印に相当する母斑のことを、スティーブンソンは「実験的母斑」（experimental birthmark）と名付けました。これはアジア圏やアフリカで広く見られるもので、スティーブンソンは1997年の著書で、タイとビルマ（現ミャンマー）で発見された20例を報告しており、チョ・ニン・テトの事例はその一つです。スティーブンソンの調査は1980年代までに行われたものですが、20年ほどして、ジム・タッカーとユルゲン・カイルがタイとミャンマーで追跡調査を行い、新たに18の事例を発見し、2013年に発表された論文の中で詳細を報告しています。[16]

実験的母斑の例は、ダライ・ラマの弟の例でもよく知られています。2歳で亡くなった弟が生まれ変わった時の証拠となるように遺体にバターを塗ったところ、次に生まれてきた赤ん坊の同じ場所に母斑があったと、ダライ・ラマは自伝の中で伝えています。[17]

日本でも古くからこのような習慣は知られており、古くは『因果物語』（1661年）に次のような例が挙げられています。

・顔半分に薄墨色の痣《あざ》がある女性がいたので理由を訊いたところ、母親が自分が産まれる前に死んだ子どもの顔に墨を塗って生まれ変わりを願ったためであるとの返事が返ってきた。(『因果物語』、巻19、1661年)
・ある女性が産んだ三人の子どもが立て続けに死んだので、不審に思って三人目の子どもの腕に傷を付けたところ、次に生まれてきた子どもには同じ所に痣があった。(同右)

勝五郎の事例を世界に紹介したラフカディオ・ハーンは、『怪談』の中で実験的母斑の事例を報告しています。「力《りき》ばか」と名付けられたその物語は次のような内容です。

腕っ節は強いが、頭の弱い力(りき)という若者が亡くなった時に、母親が左の手のひらに「力ばか」と書き、今度生まれ変わる時は、もっと幸せな境遇になるように繰り返し祈った。三カ月ほどしてある大金持ちの家に、左の手のひらにはっきり「力ばか」と読める文字の付いた子どもが生まれた。手のひらに「ばか」という文字があるのは具合が悪いと考えた両親が、力(りき)の墓の土でその子の肌を擦って手のひらの文字を消すために、使用人を使って力(りき)の母親を探し当てた。母親は力(りき)が大金持ちの家に生まれ変わったことを知って大変喜んだ。この話は、ハーンが序文で記しているように、彼が個人的に体験した出来事で、創作ではありません。

現代の実践的母斑の事例

このような風習はかなり最近まで実践されていたようです[18]（現在も行われている場所があるかも知れません）。筆者が実際に調査した事例を紹介しましょう。

１９３１年、秋田県のある家庭の次男として生まれたユウキチさんは、１９３４年８月８日、赤痢のため３歳で亡くなってしまいました。それまではとても健康で体格もよかったユウキチさんの生まれ変わりを願って、家族はユウキチさんに印を付けることにしました。その役はユウキチさんの兄のイサムさんが担い、首筋に大きな「〇」が描かれました。

20年後の１９５４年８月15日、イサムさん夫妻に次女のトミコさんが生まれました。トミコさんが生まれた時、世話をした産婆さんが上げた驚きの声に慌てたイサムさんの奥さんは、トミコさんの首筋にある直径３センチほどの大きな赤い母斑を見て、深刻な病気あるいは障害があるのではないか、と心配になりました。しかし、イサムさんから、イサムさんがユウキチさんに付けた印のことや、トミコさんがユウキチさんの生まれ変わりかも知れない、という話を聞いて、ようやく奥さんの心配は消えました。

トミコさんにはユウキチさんとしての記憶はなかったものの、ユウキチさんと同様に大柄で健康だったことから、イサムさんはトミコさんをユウキチさんの生まれ変わりだと信じて疑いませんでした。イサムさんにはそう確信させる何かがあったのかも知れませんが、残念ながら、イサムさんは２０１０年に他界されたため、それを聞くことは不可能となってしまいました。

【データベースの分析】

同一家族に再度生まれてくるか

姉の元に生まれてきたライ・ライ（チョ・ニン・テト）やダライ・ラマの弟のように、同一の家族（身内を含む）にもう一度生まれてくるかどうかについては、文化によって大きな違いがあります。

北米のアメリカ先住民族やナイジェリアでは、死者は身内の所に生まれ変わってくる、と信じられています。その信仰を反映するかのように、これらの文化圏では全ての事例が身内の間で生じています。

同一家族に再度生まれる割合

国（地域）	同一家族内事例	同一家族外事例	合計
先住民族（アメリカ）	89（100.0%）	0（ 0.0%）	89
先住民族（カナダ）	66（100.0%）	0（ 0.0%）	66
アメリカ	29（ 25.9%）	83（74.1%）	112
インド	191（ 49.0%）	199（51.0%）	390
スリランカ	29（ 20.0%）	116（80.0%）	145
ビルマ	120（ 74.1%）	42（25.9%）	162
タイ	63（ 77.8%）	18（22.2%）	81
ナイジェリア	54（100.0%）	0（ 0.0%）	54
レバノン	56（ 53.8%）	48（46.2%）	104
トルコ	187（ 55.5%）	150（44.5%）	337

日本兵としての過去生記憶を持つビルマ人の事例

スティーブンソンとその同僚たちは、第二次世界大戦時にビルマ（現ミャンマー）で戦死した日本兵としての記憶を持つビルマ人を少なくとも24名発見し、詳細な調査を行っています。その調査によれば、彼らには多くの共通点が見られます。まず、ほぼ全員が日本への強い帰郷の念を示しています。日本に帰りたいと常に訴えて親を困らせる場合もあれば、叱られた時など自分の意に沿わないことがあると突然「日本に帰る！」と宣言する場合など、その現れ方は様々です。

次に、ビルマの生活に馴染むのに時間がかかるという点です。彼らの多くが、日本と比べて蒸し暑いビルマの気候に対して不満を述べました。ビルマの香辛料の効いた食事や薄いお茶に対しても文句を言います。ビルマの習慣に反して魚や卵を生で食べようとします。ビルマの男性が腰に巻くロンギを嫌がり、ズボンを穿こうとします。信仰に厚いビルマ人とは対照的に、僧に対して深い尊敬の念を示そうとせず、また、平伏しての祈りも拒否しようとします。

また、彼らの多くはビルマ語を覚えるのに非常に時間がかかり、３歳頃まで話さなかったという例も少なくありません。中には「最初に話し始めた言葉は日本語だった」と親が証言している例もあります。

親たちの証言によれば、彼らの多くは、一般的なビルマ人と比べて非常に勤勉で我慢強く、また、他人の頬を平手で打つなど、ビルマ人らしくない荒々しさを見せる者も少なくありません。また、彼らの多くは兵隊ごっこを好みましたが、男の兄弟がいる場合でも、家族の中でそのような遊びをするのは彼らだけということも少なくありませんでした。

また、彼らの多くは日本びいきでイギリス・アメリカが嫌いでした。イギリスやアメリカのことが話題に上ると不快感を示し、あからさまに怒りや敵意を示す者もいました。

これらの点は、家族の他の者には見られない、日本人としての過去生の記憶を持つ彼らのみが見せる特徴です。

写真から日本人らしさを判断する実験

彼らの何人かは「日本人らしい顔をしている」と言われることが少なくありませんでした。

筆者はその点を確認すべく、研究所のデータを使って次のような実験をしてみました[19]。

・日本人としての過去生記憶を持っているビルマ人で、写真の残されているデータを抽出する（24事例のうち、18事例で写真が残されている）。これをJ‐B事例と呼ぶことにする。

・ビルマ人としての過去生記憶を持っているビルマ人で写真の残されているデータを抽出する（39事例に写真が残っていた）。これをB‐B事例と呼ぶことにする。
・B‐B事例の中から、性別や写真撮影時の年齢が、J‐B事例に対応するものを18事例抽出する。
・J‐B事例の写真18枚とB‐B事例の写真18枚をランダムに表示するスライドを作成し、日本人に見せて、5段階で「日本人らしさ」を判断してもらう。非常に日本人らしければ5点、全く日本人らしくなければ1点。

実験の結果、J‐Bグループの平均は2・80点、B‐Bグループの平均は2・36点で、統計的には有意な差がありました。つまり、日本人の過去生記憶を持つビルマ人の事例においても、過去生記憶が容貌に影響を与える可能性を示唆する結果となったのです。

厚生労働省の「地域別戦没者概見図（2012年8月13日付け）」によれば、13万7千人に上るビルマでの戦没者の内、4万5千6百柱の遺骨（約33・3％）が未帰還となっています。政府や諸団体の懸命の努力にもかかわらず、民族対立等の事情で収集が困難な地域も多く、近年は一柱も帰還できない年も少なくありません。

しかし、もしかしたら、戦没者の魂は既に別の肉体に宿り、新たな人生に臨んでいるのかも知れません。そして、ここで紹介した24名は、命を落としたビルマの地で新たな人生をスタートさせた魂なのかも知れません。

【データベースの分析】過去生の家に帰りたいか、家族に会いたいか

日本人としての過去生記憶を持っていたビルマの子どもたちは、故郷である日本に戻り、日本の家族に会うことを切望しました。

過去生記憶を持つ子どもは皆、このような想いを持つのでしょうか。

データベースの検索結果は以下の通りです。会いたくない、という回答もありますが、7割以上は過去生で住んでいた場所に戻り、過去生での家族に会いたい、と希望しているようです。

過去生で住んでいた場所に帰りたがったか

強く希望	ある程度希望	どちらでもない	あまり帰りたがらない	まったく帰りたがらない	合計
166 (32.9%)	215 (42.7%)	85 (16.9%)	12 (2.4%)	26 (5.2%)	504

※同一家族の 160 例は除いてあります

過去生での家族に会いたがったか

強く希望	ある程度希望	どちらでもない	あまり会いたがらない	まったく会いたがらない	合計
352 (30.1%)	498 (42.6%)	249 (21.3%)	25 (2.1%)	45 (3.8%)	1169

※同一家族の 291 例は除いてあります

(14) Stevenson, Ian (1997) *Reincarnation and Biology: A Contribution to the Etiology of Birthmarks and Birth Defects*, 2 Vols. Westport, CT: Praeger.
(15) Shroder, Tom (1999) *Old Souls: The Scientific Search for Proof of Past Lives*. New York: Simon & Schuster.
(16) Tucker, Jim B. and H. H. Jürgen Keil (2013) "Experimental Birthmarks: New Cases of an Asian Practice." *Journal of Scientific Exploration*, 27(2), 269-282.
(17) Dalai Lama of Tibet (1997) *My Land and My People: The Original Autobiography of His Holiness*. New York: Little, Brown & Company.
(18) Ohkado, Masayuki (2017) "Same-Family Cases of the Reincarnation Type in Japan." *Journal of Scientific Exploration*, 31(4), 551-571.)
(19) Ohkado, Masayuki (2014) "Facial Features of Burmese with Past-Life Memories as Japanese Soldiers." *Journal of Scientific Exploration*, 28(4), 597-603.

世界中から集められた生まれ変わり事例の記録が納められたバージニア大学医学部知覚研究所のキャビネット

第六章　強力なアメリカの事例と事例強度尺度

イアン・スティーブンソンの事例収集の対象となった主な地域はアジアや中東でしたが、それは事例が最も見つかりやすい地域だからでした。アメリカ国内やヨーロッパにおいても事例が発見された場合には、足を運び調査を続け、ようやく2003年に、スティーブンソンは、ヨーロッパの事例を報告する書籍の発表に至りました。続いて、アメリカの事例を集めた書籍の発表を計画していましたが果たせず、その実現はスティーブンソンの衣鉢を継いだ精神科医ジム・タッカーに託されました。

スティーブンソンの研究が徐々に知られるようになったこと、タッカーがスティーブンソンのようにはメディアへの露出を避けなかったこと、インターネットが発達して情報の共有が極めて容易になったこと、などの条件が重なって、アメリカでもアジアや中東と変わらない強力な事例が見つかるようになりました。

ヒンズー教や仏教、イスラム教の一部の宗派のように生まれ変わりを容認する宗教を背景とした事例では「文化的影響によって人工的に生み出されたものに過ぎない」という批判がなされがちですが、一般的には生まれ変わりを容認しないキリスト教圏の事例は、現象の真正性という点で、より説得力が高いように思われます。

本章では、ジム・タッカーが調査した二つの強力なアメリカの事例を紹介し、その後で事例の強さの測定という問題を見ることにします（※本章でご紹介する事例の詳細は章末の文献[20・21]をご参照ください。また、ジェームズ君の事例[22]、ライアン君の事例[23]についても、それぞれ章末の文献をご参照ください)。

日本軍に撃墜されたんだ！　アメリカのジェームズ君の事例

「飛行機が炎上、墜落！　脱出不能！」

凄まじい叫び声が響きます。足を宙に蹴り上げてもがき苦しんでいるのは、ジェームズ・ライニンガー君。アメリカのテキサス州に住む2歳の男の子です。

ジェームズ君には飛行機に対する強迫的とも言うべきこだわりがありました。それが始まったのは、両親が1歳10カ月のジェームズ君をテキサス州ダラスにあるカヴァナー航空博物館に連れて行って以来のことでした。博物館で、ジェームズ君は、第二次世界大戦時の飛行機の展示に異常な興味を示し、そこから動こうとしなくなってしまい、家族は結局3時間をそこで過ごしました。

博物館のお土産に買ったおもちゃの飛行機でのジェームズ君の遊び方は、両親を戸惑わせました。「飛行機が炎上、墜落！」と叫びながら、飛行機をテーブルに激しくぶつけるのです。

これを何度も繰り返すため、テーブルは傷だらけになってしまいました。

ジェームズ君の悪夢が始まって数カ月経った頃、母親が寝る前に絵本を読んでいると、ジェームズ君が「こんな風になっちゃったんだ」と言って、宙を蹴り上げ、いつもの「飛行機が炎上、墜落！　脱出不能！」のポーズを取りました。意識がはっきりしている時に「脱出不能」の話をするのは初めてだったので、母親は父親を呼びに行きました。

その時まで、父親は、ジェームズ君の悪夢を「子ども時代にはよくあること」と真剣に考えていませんでしたが、覚醒した状態でいつものポーズを取るジェームズ君の様子を見て、きちんと話を聞いてみることにしました。

「日本人に撃たれて、自分が乗っていた飛行機が炎上して墜落したんだ」

返ってきた言葉に両親は困惑するばかりでした。

その数カ月後、寝る前に両親がさらに話を聞いてみると、「コルセア」という飛行機に乗っていたこと、「ナトマ」という船から飛び立ったことを話しました。

この会話の後、父親はインターネットを検索して驚きました。「ナトマ・ベイ」という第二次世界大戦時に使われたアメリカ軍の護衛空母が見つかったのです。

ジェームズ君がナトマ・ベイの話をしてから一カ月程後のこと、父親が他の名前を覚えていないかと聞くと「ジャック・ラーセン」と返答しました。「ジャックはジェームズの友達だったのか?」という質問に対して「彼もパイロットだった」とジェームズ君は答えました。そこで、父親は「ジャック・ラーセン」を探し始め、ナトマ・ベイの乗組員の中にその名前の人物がいたことを発見しました。

キリスト教徒の両親の「生まれ変わり」容認と続くジェームズ君の過去生発言

ジェームズ君の父親も母親もキリスト教徒でしたから、「生まれ変わり」の可能性など考えたこともありませんでした。しかし、母親の母から贈られたキャロル・ボウマンの『子どもたちの過去生：過去生の記憶がいかに子どもに影響を与えるか』[24]という本を読んで考えが変わりました。ボウマンの本には、過去生の記憶を持つ子どもの事例がいくつも紹介されていました。何かに異常なこだわりを持つこと、過去生と関係する恐怖症を持つこと、そこで描かれた子どもたちの特徴はジェームズ君にそっくりでした。

ボウマンの本に書かれていた助言に従い、悪夢を見た直後に夢の内容についてジェームズ君と話をするようにしたところ、症状は治まり、悪夢の回数も減っていきました。それと並行して、ジェームズ君は、はっきり目覚めている時にも過去生の記憶を語るようになりました。両親とも、徐々に、ジェームズ君が語っているのが過去生記憶である可能性を受け入れるようになっていきました。

ジェームズ君が2歳半くらいのとき、父親は、自分の父（ジェームズ君の祖父）へのクリスマスプレゼントとして『硫黄島の闘い　１９４５』という本を購入しました。それを見ていると、ジェームズ君が膝の上に乗ってきて、一緒に本を見始めました。硫黄島の地図と航空写真が見開きで載っているページに来たとき、写真を指差してジェームズ君が言いました。

「お父さん、ここで僕の飛行機は撃ち落とされたんだよ」

3歳の誕生日のすぐ後、船と飛行機の戦闘の絵を描くようになりました。何度も何度も同じ絵を描き、決まって「James 3」とサインをします。両親は最初、3歳になったからかと思いましたが、意味を尋ねると、ジェームズ君は「僕は3番目のジェームズなんだ」と語りました。「James 3」とサインをするのは、ジェームズ君が4歳になってからも続きました。

3歳半の頃、ジェームズ君が「自分の飛行機は撃たれたんだ」と言ったときに「どこを撃たれたんだ」と尋ねると、ちょうどプロペラのところ、と答えました。

4歳の頃「コルセアはよくパンクしたんだ」と語りました。

4歳半のとき、母親の親戚とダラスのプールに行ったときのことです。従兄とゴッコ遊びをしていたとき、ジェームズ君は「ジャップ！」（日本人の蔑称）と言って飛行機を撃つ真似をし始めました。驚いた母親があわててジェームズ君を呼んでたしなめました。そして、「戦争は終わったし、日本に勝ったのよ」と告げると、ジェームズ君は一瞬、ショックを受けた様子を見せました。それから興奮し、跳び回って喜びました。

ジェームズ君の過去生の人物発見

ダラスのプールでの出来事の1週間後、ナトマ・ベイ乗組員の同窓会が開かれることを知った父親は「ナトマ・ベイに関する本を執筆中」と偽って、会に出席させてもらいました。その時にジャック・ラーセンが生きていることや、硫黄島の闘い（１９４５年2月19日～１９４５年3月26日）の時にナトマ・ベイから飛び立って死亡したパイロットは一人しかいないことを知りました。パイロットの名前はジェームズ・ヒューストン・ジュニア。ペンシルベニア州出身の21歳の男性でした。

この名前を聞いたとき、「James 3」のサインの意味が判明しました。ジェームズ・ヒューストン・ジュニアはジェームズ・ヒューストンの子ども、つまり「James 2」です。そして、ジェームズ君はその生まれ変わりなので「James 3」というわけです。

ジェームズ・ヒューストン・ジュニアが乗った飛行機が撃ち落とされたのは、硫黄島の闘いの最中の3月3日、ナトマ・ベイの任務が終了する4日前のことでした。目撃者の証言では、ジェームズ・ヒューストン・ジュニアを乗せた飛行機は機首を撃たれて撃墜されたとのこと。「プロペラのところ」と言ったジェームズ君の発言通りでした。

ジェームズ君の過去生の姉とジェームズ君が「再会」

ジェームズ君は、自分には4歳年上のアニーと、さらに4歳上のルースという姉がいたと話しましたが、その通りでした。アニーはまだ生きていることが分かり、ジェームズ君の母親は当時84歳のアニーと話をしています。その時、ジェームズ君が語ったヒューストン家のプライベートな内容（父親がお酒ばかり飲んで家族に迷惑をかけていたことなど）が全て事実だったことがわかり、アニーを驚かせました（後に二人は「再会」も果たしています）。

また、アニーが送ってくれたジェームズ・ヒューストン・ジュニアの写真がきっかけで、ジェームズ君の話にあった謎が解けました。

ジェームズ君は「コルセアに乗っていた」と発言しましたが、ジェームズ・ヒューストン・

ジェームズ君の過去生の人物とされるジェームズ・ヒューストン・ジュニア

ジェームズ・ライニンガー君

ジュニアが撃墜された時に乗っていたのはFM-2という戦闘機でした。しかし、アニーが送ってくれた写真のジェームズ・ヒューストン・ジュニアは、コルセアと一緒に写っていたのです。

その後の調査でジェームズ・ヒューストン・ジュニアは、ナトマ・ベイのVC-81飛行隊に参加する前に、VF-301飛行隊に所属しており、そこでコルセアのテストをしていたことが判明しました。

戦友たちとの「再会」

6歳半の時、ジェームズ君自身がナトマ・ベイの同窓会に参加しました。80歳を超える退役軍人に交じっての参加です。

参加者の一人であるボブ・グリーンウォルトが「私が誰だか分かるかい?」とジェームズ君に

尋ねると、正確に名前を伝え相手を驚かせました。「どうして分かったんだ？」という父親の質問には「声で分かった」と答えています。

また、ジェームズ君は、同窓会の会場に展示されていた5インチ砲を見て「ナトマ・ベイにもあった」と発言しました。ある退役軍人が「どこにあったんだい？」と尋ねると、「艦尾楼甲板《かんびろうかんぱん》だよ」と正しく指摘しています。

【データベースの分析】過去生を思い出すきっかけ

ジェームズ君が過去生を思い出したきっかけは、航空博物館に展示された第二次世界大戦時の飛行機でした。このように何かが刺激となって過去生記憶を語り始める例はどのくらいあるのでしょうか。この点についてデータベースを調べた結果が以下です。

何らかのきっかけがあって過去生記憶を思い出したという例が6割ほどですが、そのきっかけがジェームズ君のように明確に過去生記憶と関連しているものは全体の4割でした。ただし、過去生と関係するか不明

過去生を思い出すきっかけ（刺激）はあったか

過去生と関連するものがあった	過去生と関係するか不明だがあった	過去生とは関係しないがあった	なかった	合計
354 (41.8%)	88 (10.4%)	44 (5.2%)	361 (42.6%)	847

なものも、確認が取れていないだけで実は関係していた、ということであれば、半数以上が過去生記憶と関係する何かがきっかけ（刺激）となって記憶を思い出した、と言えます。

【データベースの分析】　過去生を反映した遊びをするか

飛行機を墜落させて遊んだジェームズ君のように子どもが過去生を反映した遊びをすることがあります。データベースで検索すると、半数近い事例でそのような遊びが見られることが分かります。

過去生を反映した遊びをするか

過去生を反映した遊びをする	過去生を反映した遊びをしない	合計
343 (48.8%)	360 (51.2%)	703

僕はハリウッド映画に出ていたんだ　アメリカのライアン君の事例

「僕、この映画『夜毎来る女』（*Night After Night*）に出てたよ」

そう語って母親をビックリさせたのは、４歳の息子ライアン君。ライアン君は、女優メイ・ウェストのデビュー作であるその映画の公開から72年も経った２００４年生まれです。

ライアン君は「アクション！」と言って、何度も映画を撮る真似をしたり、こんなことを両親に話しました。

「ハリウッドに家があるんだ。そこに帰りたい。ねえ、連れてってよ」

「僕は映画に出てたんだよ」

「すっごく大きな家でプールもあるんだ」

「お手伝いさんもたくさんいたんだよ」

「とってもお金持ちだったんだ」（そう言って、今の生活に文句を言うこともありました。）

「住んでた場所は…えっと…『ロック』って言葉が入ってた」

「子どもも何人かいて、娘にはよく塗り絵を買ってあげたんだ」

両親は、最初、ライアン君のこんな話を真剣に受け取ろうとはしませんでした。母親はバプテスト派教会に通って育ち、父親は牧師の息子でした。生まれ変わりを認めないキリスト教徒の二人にとって、「生まれ変わり」や「過去生」などは別世界の出来事だったため、想像力豊かな子どもの話程度にしか考えていなかったのです。

しかし、ライアン君が悪夢にうなされるようになり事情が変わりました。ライアン君は「息ができない！」と言って胸を押さえながら目を覚ますようになり、こんなことを語りました。

「僕は胸が破裂して死んだんだ」

「ママ、死んだらどうなるか教えてあげるね」

古い映画についての詳しい知識

これは単なる子どもの空想なんかじゃない、そう悟った母親は、図書館でハリウッドを扱った本を何冊か借りました。それを見て興奮したライアン君は、２００４年生まれの４歳児が知っていそうにないことを次々に話し出しました。

「(１９４０年代に活躍した女優を指して)この人知ってる。例のアイス・ドリンクをよく作ってたんだ」

『夜毎来る女』のページになった時、興奮したライアン君が写真を指差して言いました。

「ママ、これ、ジョージだよ。一緒に映画に出たんだ。あ、これ、これが僕だよ。僕を見つけたよ」

写真には6人の男が写っていました。ライアン君が「前の自分」と語る人物が存在するらしいことが分かりました。しかし、母親にはそれが誰なのか見当もつきませんでした。

2010年2月、母親はバージニア大学知覚研究所に助けを求めました。過去生の人物が見つかれば、過去と決別し、ライアン君としてだけの人生を歩むことができるようになるのではないかと考えたからです。

過去生の人物探し

過去生の人物の特定は比較的スムーズに行きそうに思われました。端役とは言え、ハリウッド映画の登場人物です。しかも、『未解決の謎』(*The Unexplained*)というテレビ番組が知覚研究所の研究を取り上げることになり、ライアン君の過去生の調査を請け負ってくれたのです。

その結果、ライアン君が「僕だ」と言った人物はマーティ・マーティンだということが分かりました。ライアン君の語った内容の多くがマーティンの人生と一致していました。彼は大金持ちで、プールのある大きな家に住んでいました。住所はノース・ロックスベリー、確かに「ロック」という音が入っていました。

ライアン君が自分だと語った人物（右端）とジョージだと語った人物（左から２人目）

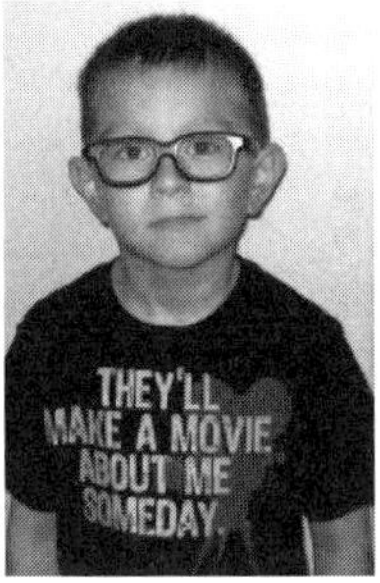

ライアン君

「自分はエージェンシーで働いていた」

「ファイブ上院議員を知っている。本当に最低のやつだ」

ライアン君はそうも話していました。それを聞いて、母親もジム・タッカー博士もテレビか何かに影響されて「シークレットエージェンシー（秘密諜報機関）」の諜報員になりきっているのではないか、やはりライアン君の話はあやしいのではないか、といぶかりました。しかし、ライアン君の言う通りだったのです。マーティンは俳優の代理を務めるマーティ・マーティン・エージェンシーという会社を立ち上げていたことが分かりました。その会社が成功して、富を築き上げたのです。

「ファイブ上院議員」は見つかりませんでしたが、「アイブ上院議員」が実在していました。ライアン君が話していたのはこの議員のことのようでした。

テレビの撮影に同行したバージニア大学知覚研究所のジ

ム・タッカー博士が「見分けテスト」を行いました。マーティンに縁のある人物とそうでない人物の写真をライアン君に見せ、正しい人物を当てることができるか、また、正しい人物の名前を指摘することができるかをテストしたのです。

ライアン君は、4人の女性の写真の中からマーティンの妻を選びました。

また、4人の男性の写真の中から「アイブ上院議員」の写真を正しく指摘しました。

さらに、馴染みのある名前を選んで欲しいと提示された4つの名前からマーティ・マーティンの名前を選びました。ライアン君はテストに合格しました。

かつての娘との残念な「再会」

マーティンは4回結婚し、何人か子どもを残しています。しかし、存命の血のつながった子どもはライアン君が「絵本を買ってあげた」と語っていた娘一人だけでした。その娘がロス・アンゼルスに住んでいることが分かりました。ライアン君の記憶の正確さやジム・タッカー博士という真面目な研究者が関わっていることを聞いて、マーティンの娘はライアン君と「再会」することに同意しました。過去生の記憶を語る子どもがかつて近しい関係にあった人と「再会」する場合、いつも感動的な涙の「再会」になるわけではありません。

マーティ・マーティンが死亡したのは１９６４年、59歳の時でした。残された娘はまだ８歳でした。その時から46年が経っています。娘の昔の面影を期待したライアン君の期待は打ち砕かれてしまいました。再会の後、ライアン君は何度も語りました。

「別人だよ。すっかりエネルギーが変わっちゃった」

過去生は過ぎ去った生、自分はライアンとしての人生を生きるしかない、そう悟ったのか、ライアン君は急速に過去生の話をしなくなっていきました。

ライアン君の事例の重要性

ジェームズ君の事例も、ライアン君の事例も、キリスト教圏で生まれ育ち「生まれ変わり」など全く信じていなかった両親の元で生じた事例で、しかも実名を公表しているだけに、生まれ変わりの存在を示唆する事例として重要です。ライアン君の事例については、この他にも次のような特徴があり、最重要事例の一つと言っても過言ではないでしょう。

・キリスト教文化の強い人口１６００人ほどの小さな町で生じており、事例の公表は、金品や名声につながるどころか周りとの軋轢《あつれき》を生みかねず、なんらかの利益のために事例がでっちあげられたり、脚色されたりした可能性は低い。
・公職についている両親の元、実名を公開しての事例であり、虚偽報告の可能性は低い。
・発言や振る舞いがその都度記録されており、記憶違いや後からの脚色の可能性は低い。
・事例が進行中の段階で研究者（ジム・タッカー）が介在しており、特に介在後については、虚偽報告の可能性は排除できる。
・過去生の人物に関する情報は（この事例が明らかになるまでは）一般にはほとんど入手不可能であり、両親や家族が独自に情報を得て子どもに教え込んだ可能性は極めて低い。
・テレビ番組制作会社の「勇み足」によって虚偽の内容（間違った人物が過去生の人物と同定されたこと）が押し付けられようとしたにも関わらず、当事者がそれを受け付けなかったことで記憶の確実性が一層明らかになった。[20・23]

プラトンが記録した「忘却の平原」「不注意の川」

プラトンが著した『国家』の一部である冥府物語「エルの物語」の中で、パンピュリア出身の戦士エルは、次のようなことを語りました。

これから生まれ変わる魂たちは、焼け付くような暑さの中を「忘却の平原」に向かって歩きました。ようやくたどり着いた平原は、草も木も生えない不毛の大地でした。夕方になり、「不注意の川」の近くで野営することになった一行は、いかなる器にも汲むことができないと言われるその川の水を、飲まなければなりませんでした。知恵のない者は、必要以上にたくさんの水を飲んでしまいました。水を一口飲む度に、魂たちが持っていた過去の記憶がなくなっていきます。

戦士エルは、戦場で命を落としたものの、火葬される前に息を吹き返し、あの世での自分の体験を語りました。エルによれば、死後の裁きを受けた魂たちは、自らの運命を選択し、新しく生まれ変わります。我々が過去の記憶（人生で学んだ知恵）を無くして生まれてくるのは、「不注意の川」の水を飲むからなのです。エルの話をプラトンの兄グラウコンに語ったソクラテスは、我々が死後「忘却の平原」に行く時に、このエルの話を肝に銘じておけば、川の水を飲まずに済むし、それは救いであると語っています。

生まれ変わりがあるとすれば、何故ほとんどの人は過去生の記憶を持っていないのでしょうか。エルの話はその疑問に対する答えの一つです。

ところで、知覚研究所の再生型事例の中心人物たちは、どう語っているのでしょうか。エルが語ったような「不注意の川」の話は出てくるのでしょうか。

記憶を忘れさせる「忘却の食べ物」

知覚研究所のデータの中に記憶を忘れさせる「川の水」は出てきませんが、「忘却の食べ物」の話がいくつか報告されています。[25] タイのある子どもはこう語っています。

「お寺に行ったんだ。そしたらお坊さんがいて、お菓子をくれた。これを食べたら記憶を無くしてしまうな、と思って、食べないことにしたんだ」

タイの別の子どもはこんな報告をしています。

「喉が渇いてお腹もペコペコだったんだ。ずっと歩いて行くと小屋が見えてきた。おじいさんとおばあさんがいたから、おばあさんに『水をちょうだい』とお願いした。そしたらおばあさんが水をくれて、『小屋に入りなさい』と言ったんだ。それから『食べなさい』と言って、果物もくれた。桃じゃないけど、桃みたいな果物だった。でも『急がなきゃ』って気がして、水だけ飲んで、果物は食べなかったんだ」

この話で面白いのは、水の方は飲んでも大丈夫だったという点です。

さらに興味深いのは、同じタイの事例の中に、果物を食べたにもかかわらず過去生の記憶のことを忘れなかった事例があることです。ある子どもはこんな報告をしています。

「男の人が（死んだ自分を）天国まで連れて行ってくれました。天国の一番偉い人が果物をくれたので、それを食べました」

にもかかわらず、この子はしっかりした過去生の記憶を持っていて、記憶の多くが事実であることが確認されているので、「忘却の果物」は効かなかったようです。

また別の子は、寺院で食べ物をもらって食べたことを報告しています。ただし、この子の場合、過去生の人物は特定できていません。

この他、ベトナムの二つの事例では、差し出された食べ物は「果物」ではなく「スープ」で、子どもたちは、これを飲まなかったために過去生の記憶を忘れないで済んだと語っています（※この二つの事例はスティーブンソンが調査したものではなく、ル・カン・ホン氏がスティーブンソンに報告したものです。また、最近、『生まれ変わりの村』の著者である森田健氏が報告した中国の事例[26~29]も同じグループに属するでしょう）。

【データベースの分析】　過去生を忘れない理由とは

エルによる「不注意の川」の話も、「忘却の食べ物」の話も、何かを口にすることによって過去生の記憶を失ってしまうという部分は共通しています。しかし、再生型事例の圧倒的多数では、そのような報告はされていません。食べ物や飲み物が関係しないとすれば、何が関係するのか。再生型事例の調査を始めた当初からスティーブンソンが気付いていたのは、過去生で非業の死を遂げた例がとても多い、ということでした。

研究所のデータベースでは過去生の人格の死因が記録されているので、それを利用して「非業の死を遂げたグループ」（射殺・刺殺・溺死・毒蛇咬傷・その他の暴力・自死）と「それ以外のグループ」（自然死・病死）を集計すると、以下のようになり、非業の死を遂げた例が非常に多いことが分かります。

一つの解釈として、衝撃的な死を経験すると、いわば心的外傷を受けたようになって、本来の忘却のメカニズムがうまく働かず、過去生の記憶が残ってしまうと言えるかも知れません。過去生の記憶の多くが死ぬ間際に集中する傾向にあるという点も、この解釈を支持しているように思います。

また、一部の事例では、中心人物が「前の人生でやり残したことがあるか」という質問について答えています。「やり残したことの有るグループ」と「やり残したことの無いグループ」

非業の死を遂げたグループとそれ以外のグループ

非業の死	自然死・病死	合計
1142 (67.4%)	552 (32.6%)	1694

やり残したことの有無

やり残したこと有	やり残したこと無	合計
118 (82.5%)	25 (17.5%)	143

を集計すると、８割超が「有る」と答えていることが分かります。俗に「未練を残すと成仏できない」と言いますが、やり残したことに対する強い想いも、忘却のメカニズムの作動を妨げると言えるのかも知れません。

ライアン君は「僕は前の人生で家族と十分に時間を過ごさなかったし、働いてばかりで愛こそが一番大切だってことを忘れてしまっていたから、もう一度生まれてきたんだ」と語っています。これも「やり残したこと」の一つと考えることができます。

それ以外の要因を探ろうと、データベースを使って死因と他の様々な要因をかけ合わせて比較してみたところ、次の要因が関係しそうなことが分かりました。

・過去生の人物と同一家族または非常に近い関係にある
・宗教活動に熱心である
・瞑想をよくする
・高徳である

「非業の死グループ」と比べて、「自然死・病死グループ」の方が、これらの特徴を持つ割合が高いのです（統計的に有意なのです）。どうやら、これらの特徴があれば、非業の死を遂げていなくても、記憶が残る傾向にあると言えそうです。

そこで、「自然死・病死グループ」からこれらの特徴を持った事例および、「やり残したこと有り」の事例を抜いてみると、残された事例は183、つまり1694例のうちの10・8％となりました。

過去生の記憶を持たない人との比較を行っていないので乱暴な議論ではありますが、非業の死を遂げるか、やり残したことを残して死ぬ、そうでなければ宗教を熱心に実践するか、瞑想をし、高徳な人格を持つ、それが過去生記憶の保持につながるようです（それでも、10・8％、約1割は何故、過去生記憶が保持されているのか説明がつきませんが）。

過去生の人物の家族と同じ家族に生まれる、あるいは非常に近い関係にある家族に生まれる、そうすると記憶を思い出しやすい。このことは非常に理解しやすいように思います。

過去生で縁のあった人物に出会ったことがきっかけとなって過去生を思い出した。過去生に関係する事物に接したり、場所に行ったりしたことがきっかけで思い出した。そういう事例はいくつも報告されています。同一家族、あるいは過去生の家族と深い関係にある家族に生まれた場合、周りは過去生を思い出させる刺激に溢れています。これが引き金となって、過去生記憶を思い出しやすくなる、ということがあるのではないでしょうか。

また、「宗教活動に熱心である」「瞑想をよくする」「高徳である」というのは、まとめれば

「霊的に高い生活を送っている」と言えるかも知れません。瞑想によって過去生を思い出したという報告はたくさんありますが、スティーブンソンがタイで調査した尼僧の事例では、瞑想によって思い出した過去生記憶が事実と一致していました。瞑想のような心を研ぎ澄ます行為が、正確な過去生記憶の想起につながるとすれば、同じ行為が過去生記憶の保持につながると考えても大きな飛躍はないでしょう。

過去生の記憶の強さを測る事例強度尺度

ジム・タッカーは、子どもが語る「過去生の記憶」の強さを測る尺度、「事例強度尺度(strength-of-case scale, SOCS)」を提案しています。例えば、過去生の人物に関する正確な発言の数が多ければ多いほど得点が高くなる、といったものです。

事例強度尺度は、22の項目を含んでいて、それらは大きく「母斑・先天性欠損」「過去生に関する言及」「振る舞い」「死亡人物との関連」の４つの範疇に分けられています。次頁に表を掲載していますのでご覧ください。

振る舞い	14. 異なる性と関係する行動（過去生の人格と性別が異なる場合）	
	友人または血縁者による報告	3
	本人と研究者のみによる報告	3
	15. 過去生の家族または住居に戻りたい、または戻りたくないという欲求	
	戻りたいという強い欲求	3
	戻りたいという弱い欲求	1
	中立的	0
	戻りたくないという弱い欲求	1
	戻りたくないという強い欲求	3
	16. 遊びを通して表される、過去生での記憶	3
死亡人物との関係	17. 死亡人物の特定	
	学術的な素養のある調査者による	3
	それ以外の調査者による	3
	家族または友人による	1
	18. 事例が明らかになるまでの二つの家族の関係	
	緊密な関係、あるいは同一家族内	-2
	わずかな関係	-1
	お互いに知ってはいたが無関係	0
	お互いに全く知らなかった	5
	19. 本人の生誕地と死亡人格の主な居住地の距離	
	0.0km ～ 1.5km	0
	1.6km ～ 24.9km	2
	25.0km 以上	5
	20. 本人と死亡人物との社会的地位の相違	
	わずか	1
	中程度	2
	大きい	3
	21. 本人と死亡人物との経済的地位の相違	
	わずか	1
	中程度	2
	大きい	3
	22. カーストの違い	
	ブラフミン — クシャトリヤ — カーヤスタ — バイシャ — シュードラ — 不可触民でランクの差が数値となる。（例えば、ブラフミンとクシャトリヤなら 1 点、ブラフミンとカーヤスタなら 2 点）	0 ～ 5

事例強度尺度（strength-of-case scale, SOCS）

	項目	得点
母斑・先天性欠損	1. 死亡人物の致命傷と一致	
	医療記録による実証	8
	死亡人物の友人または親族により実証	5
	本人による主張のみ	2
	2. 死亡人物の致命的ではない傷と一致	
	医療記録による実証	5
	死亡人物の友人または親族により実証	3
	本人による主張のみ	1
	3. 死亡人物の病気との一致	
	医療記録による実証	4
	死亡人物の友人または親族により実証	2
	本人による主張のみ	1
過去生に関する言及	4. 本人が過去生を記憶していると主張しているか	
	している	0
	しておらず、他の証拠にのみ基づいている	-2
	5. 過去生における場所や人々について語り、それらが過去生人格の死亡後変化している	5
	6. 過去生に関する発言で実証されたものから誤りであったものを引いた数	
	>20	8
	11 ～ 20	5
	6 ～ 10	3
	1 ～ 5	1
	0	0
	-1 ～ -5	-2
	-6 ～ -10	-5
	＜-10	-8
振る舞い	7. 過去生と関係する、異常な食事上の好み・嫌悪	3
	8. 過去生と関係する、異常な食事作法	3
	9. 過去生と関係する、異常な嗜好品の好み	3
	10. 過去生と関係する、異常な好み	3
	11. 過去生と関係する、異常な技術や才能	3
	12. 過去生と関係する、異常な敵意	3
	13. 過去生と関係する、異常な恐怖症	3

【データベースの分析】

事例強度尺度を使った10の国・地域の分析

事例強度尺度を使って事例数の多い10の国・地域を分析すると以下のようになりました。

この尺度を使ってジェームズ君の事例とライアン君の事例を測ってみたところ、それぞれ36点と31点でした。アメリカを含むどの国・地域の平均点よりもはるかに高く、事例強度尺度からもこの二つが重要な事例であることが分かります。

また、日本人の事例について、第一章で紹介したトモ君とアカネちゃんの事例を計算してみたところ、いずれも12点で、インドを除く他の国の平均よりは高い点数でした。

事例強度尺度を使った10の国・地域の分析

国・地域	有効数	最小値	最大値	最頻値	平均得点
アメリカ先住民	95	-3	26	0	4.8
カナダ先住民	67	-3	24	2	4.2
アメリカ	128	-3	36	0	4.4
インド	456	-3	49	6	13.8
スリランカ	236	0	42	0	11.3
ビルマ(ミャンマー)	203	-2	28	5	8.9
タイ	92	-3	42	2	8.3
ナイジェリア	62	-3	14	2	3.0
レバノン	151	-1	40	1	11.5
トルコ	374	-4	33	0	9.4

(20) Tucker, Jim B. (2013). *Return to Life: Extraordinary Cases of Children Who Remember Past Lives* New York: St. Martin's.

(21) Kean, Leslie. (2017). *Surviving Death: A Journalist Investigates Evidence for an Afterlife.* New York: Crown Archetype.

(22) Leininger, Andrea and Bruce Leininger (2009) *Soul Survivor: The Reincarnation of a World War II Fighter Pilot.* New York: Grand Central Publishing.

(23) 大門正幸（２０２１）『「生まれ変わりはある」と言わざるをえない』東京：インプレスＲ＆Ｄ。

(24) Bowman, Carol (1997) *Children's Past Lives: How Past Life Memories Affect Your Child.* New York: Bantam Books.

(25) Stevenson, Ian (1983) *Cases of the Reincarnation Type, Volume IV: Twelve Cases in Thailcnd and Burma.* Charlottesville, VA: University Press of Virginia.

(26) 森田健（２００８）『生まれ変わりの村１』東京：河出書房新社。

(27) 森田健（２００９）『生まれ変わりの村２』東京：河出書房新社。

(28) 森田健（２０１０）『生まれ変わりの村３』東京：河出書房新社。

(29) 森田健（２０１１）『生まれ変わりの村４』東京：河出書房新社。

過去生記憶を持つすみれちゃんから聞き取り調査をする著者。
この様子は映画『かみさまとのやくそく』で紹介された。
後に出版されたすみれちゃんの著書『かみさまは小学５年生』と『かみさまは中学１年生』は、いずれもベストセラーとなっている。

第七章

過去生の自分探し――大人の事例

過去生記憶を持つ子どもたちの多くは成長するにつれて記憶をなくしていきますが、中には記憶を保持し続ける人もいます。また、中には成人になってから過去生記憶を思い出す、という場合もあります。この章では、そんな大人の事例について見ていくことにしましょう（※コッケルさん、キーン氏の事例についてては、それぞれ、章末の文献[30・31]をご参照ください。岩下氏は事実と創作を織り交ぜた文献[32]を発表しています）。

残してきた子どもたちが心配　イギリス人のコッケルさんの事例

ジェニー・コッケルさんは成人であるにもかかわらず複数の明確な過去生記憶を保持している、という点で大変珍しい存在です。その特異性は、彼女がメンサ（全人口の上位2％の知能指数の持ち主のみが会員となれる国際グループ）の会員であることと関係しているのかも知れません。

1953年にイングランドで生まれたコッケルさんは、幼少の頃から繰り返し同じ夢を見ていました。夢の中でのコッケルさんは、メアリという名の女性でした。女性はしばらくの闘病の後、いまや死にかけていました。熱のために意識は濁り、時間の感覚もなくなっていました。死を迎えつつある女性が恐れていたのは、「死」そのものではなく、自分の死によって子どもたちと決別し、子どもたちの面倒を見ることができなくなってしまうことでした。やがて訪れる死が自分の置かれた厳しい境遇からの解放を意味するのは確かでしたが、同時に、子どもたちへの責任を放棄することになってしまう。そのことに対する強い罪悪感が胸に迫ってきます。この女性の夢を見る度に、様々に交錯する複雑な感情の渦にコッケルさんは押し潰されそうになりました。

コッケルさんが目覚めている時のメアリの「記憶」には、楽しいものもありました。背が高く、兵士のように自信たっぷりな長男のこと、物静かで辛抱強い長女のことなど、大勢の子どもたちのことをはっきりと覚えていました。自分の住んでいた家やその周りの様子も覚えていて、以下のような地図を、幼少の頃から何度も描いていました。

また、コッケルさんは、メアリの生きていた時代

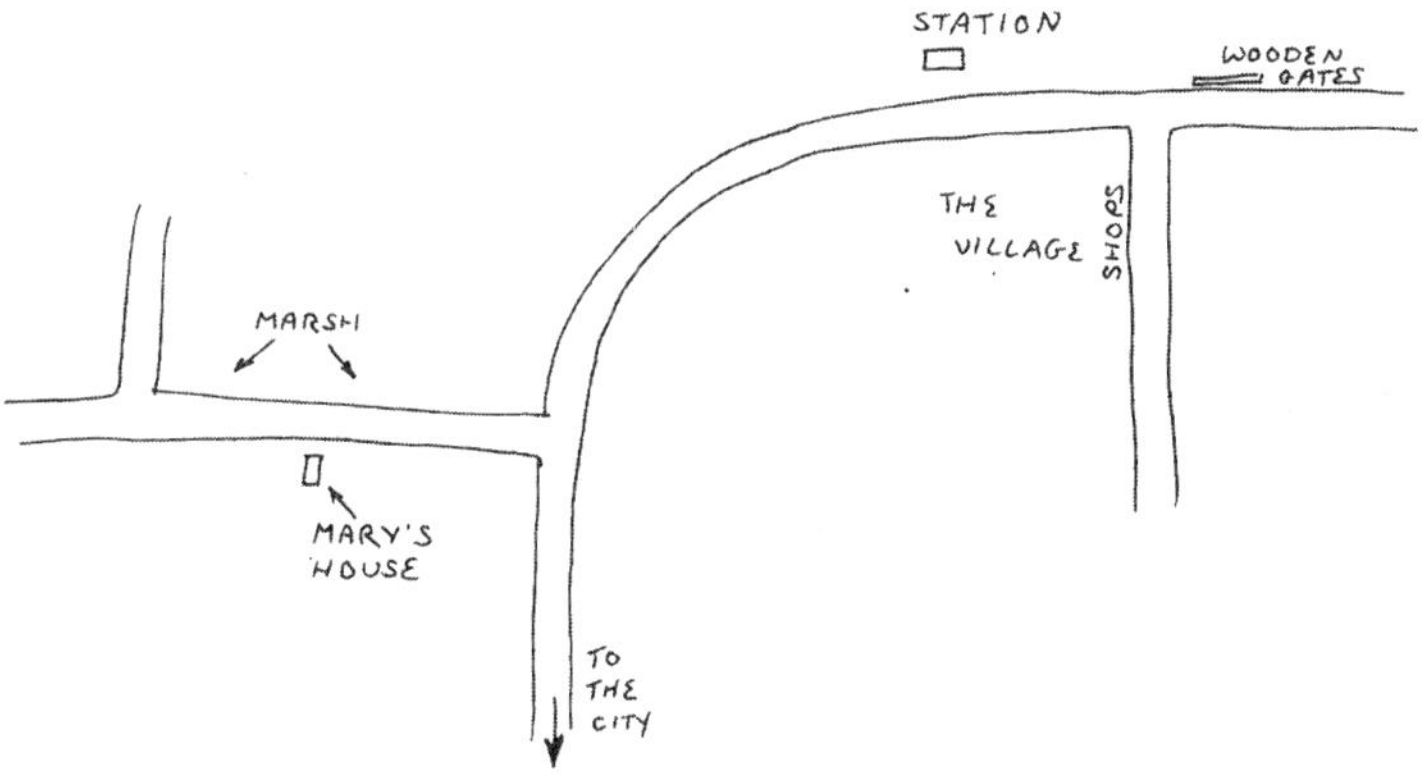

コッケルさんが幼少の頃から何度も描いていた地図
右上のSTATIONはマラハイド駅

がおよそ1898年から1930年代の間であったことや住んでいた場所がアイルランドであったことを記憶していました。アイルランドの地図を前に置き、自分が住んでいた場所について考えると、心引かれる場所はいつもダブリンの北にあるマラハイドでした。

コッケルさんが自分の持つ「過去生記憶」について最初に人に話したのは4歳の時でした。教会での礼拝の帰り道、教会では誕生や死の話をするのにどうして「過去生」の話はしないのかと、母親に訊ねたのです。この時の母親の返事から「生まれ変わり」は信仰に過ぎないと見做されていること、しかもイギリスでは一般に受け入れられていないことを知り、コッケルさんは大きなショックを受けました。もっとも、母親はコッケルさんの話を否定せず、うまく対応してくれた、とコッケルさんは述懐しています。

過去生の人物を探す旅

自分が記憶しているメアリという女性が実在したことを確認したい、コッケルさんはそう思いながらも学業、就職、結婚、二児の出産、育児と人生の重要な出来事が続き、その余裕はありませんでした。しかし、メアリが死亡したと思われる年齢（30歳前半）に近づくにつれて、メアリが残した子どもたちに会いたいという思いは募るばかりでした。過去生の自分が残した子どもたちには、現在の二人の子どもたちのような幸せな時間を与えてやることができなかった、そんな罪の意識に苛《さいな》まれるようになりました。

１９８０年、居住地の近くにトウチェスター書店（Towcester Bookstore）という新しい店ができた時、コッケルさんは、過去生で居住していたと思われるマラハイドの地図を注文しました。書店から地図が届いたとの連絡があった時、コッケルさんは記憶で描いた地図を書店に持参し、到着したばかりの地図と照らし合わせてみました。地図にはコッケルさんが描いた道が全て掲載されており、形状もほぼ同じ。駅の場所も合致していました。自分の記憶が単なる想像の産物ではないことを確信した瞬間でした。なお、コッケルさんが持参した地図が実際の地図と一致していたという点については、筆者も電話および電子メールでこの書店の店主にインタビューし、事実であることを確認しています。

１９８７年の終わり、ヒプノセラピストと知り合ったコッケルさんは、定期的に退行催眠の施術を受けるようになります。そのセッションの中で、コッケルさんはメアリとしての記憶をよりリアルに感じることができました。

セッションを通して、自分が住んでいたと思われる場所の情報に確信を持ったコッケルさんはダブリン地方の電話帳を探し、マラハイドの住人に情報を求めて手紙を書きました。メンサの会員向けの雑誌にも情報提供を求める広告を出しました。

1989年、家庭の状況が落ち着き、経済的な余裕もできたコッケルさんは、マラハイドへの旅を敢行しました。

マラハイドでは心の中のイメージに過ぎなかったものが現実となり、自分の記憶に確証を持つことができました。例えば、次のようなことをコッケルさんは述懐しています。

・誰かを待っていたと記憶している波止場に行く。コンクリートになっていたが、狂おしいほどの懐かしさと安らぎを感じた。改めて、一体誰を待っていたのか、という思いが募った。
・街の中心を東北に伸びる道にたくさんの店が並んでいることや、催眠で思い出した通りの場所に肉屋があるのを確認した。
・教会の様子は記憶に加えて催眠で思い出した姿そのままであり、興奮で身体が震えた。
・かつての家だと思われる場所の様子は記憶通り（家自体は残っておらず、礎《いしずえ》のみ）。以前より小さくなった小川を見つめているうちに子どもたち、特に我慢強い性格の長女がすすんで水汲みをするなどして助けてくれたことを思い出した。

帰宅後、メンサの会員でマラハイドに住む二人を見つけ出し、手紙を送ったところ、そのうちの一人から、マホーン氏という例の建物の持ち主に連絡が取れた、との返事がきました。

コッケルさんは早速マホーン氏に手紙を書き、問題の建物について尋ねたところ、次のようなことが分かりました。

・問題の建物は、マホーン氏の父親が１９３０年代に建てた。
・１９３０年当時、その建物は、小さな集落の一部だった。
・その建物には、子どもが大勢いる家族が住んでいた。
・１９３０年代に、小道沿いの家族で大勢の子どもがいて、母親が亡くなったのは、コッケルさんが問い合わせた建物に住んでいた家族だけ。
・亡くなった母親の名前はサットン。
・夫は１９１４年から１９１８年までイギリス兵として出兵していた（第一次世界大戦）。
・母親が亡くなった後、子どもたちは孤児院などに送られた。
・後に、長女のメアリが家に戻った。
・夫は１９３９年から１９４５年の戦争（第二次世界大戦）では、イギリスで兵の訓練にあたった。
・子どもたちはローマ・カトリックの学校に通っていたが、父親はアイルランド聖公会の信徒だった。

過去生の子どもたちとの再会

その後、電話帳に記載されていたサットン姓の家族、マラハイド郷土史学会、孤児院など多方面に問い合わせの手紙を書いたコッケルさんは、6人の子どもの名前・受洗年・結婚の記録、メアリ・サットンの死亡診断書、2人の子どもの出生証明書を入手しました。（子どもは8人いたが、2人は若くして死亡。コッケルさんはある催眠セッションで幼子を亡くす場面も思い出したことがありました。）

子どもたちの情報を求めるべく、コッケルさんは、1990年の初め、ダブリンの新聞に尋ね人の広告を出しました。スティーブンソン博士とロンドン精神医学研究所のピーター・フェンウィック博士にも助言を求める手紙を書きました。

これらの努力の結果、まず長男のソニーとの「再会」が実現しました。家やその周りの描写、飼っていた犬、市場や街の様子、メアリの作った料理、ソニー以外の子どもたちの様子、メアリの2人の兄の存在、子どもたちのしかけた罠にかかった野兎、など多くの記憶が事実と合致していたことが確認されました。

夕暮れの波止場で誰かを待っていた記憶について話すと、ソニーは「自分が少年だった頃、ある島でゴルフのキャディをしていて、夕暮れにはメアリが波止場で帰りを待っていてくれ

コッケルさん（右）とコッケルさんが自分の過去生の人物だと突き止めたメアリ・サットンの長男のソニー氏

メアリ・サットン

て、一緒に家まで帰った」と語り、寒風の中、自分が待っていたのが長男のソニーだったことが分かりました。

ソニーはコッケルさんの記憶に驚き、母親の生まれ変わりだと確信すると同時に、コッケルさんが記憶していなかったことや、自分以外の子どもたちのその後についても語りました。若くして母親を亡くし苦労したソニーの生い立ちには胸が痛みましたが、紆余曲折を経て現在は幸せな人生を送っていることが分かり、コッケルさんの罪悪感のかなりの部分が消えていきました。

コッケルさんがソニーと「再会」したことが、疎遠になっていた子どもたち同士の再会の機会にもなりました。最初は胡散臭い話と取り合わなかった何人かは長男ソニーに説得されて考えを改めたようでした。生まれ変わりを認めないカトリックの信仰がハードルとなっていた何人かは「生まれ変わりではなく、コッケルさんを通してお母さんが話している、と考えてはどうですか?」という神父の助言を受け入れ、コッケルさんとの「再会」に応じました。

家族を通して、メアリの写真を入手することもできました。写真のメアリの姿はコッケルさんがイメージしてきた通りでした。20年以上も前に他界していた一人を除き、コッケルさんはメアリが残した5人の子どもたち全員と会うことができ、家族としての交流が実現しました。幼い頃から抱いてきた罪悪感は、メアリの子どもたちとの「再会」によって温かいものに変わりました。

研究者としてコッケルさんの事例を調査した心霊研究協会のメリー・バーリントン氏は、関係者をインタビューし様々な証言を得ていますが、[33] メアリの長男のソニーは、コッケルさんが語った内容が事実であることを証言し、コッケルさんが母親の生まれ変わりだと思うと語りました。そう思う一番の理由は何かと訊かれたソニー氏はこう答えました。

「コッケルさんの目です。私を見る時の目です」

コッケルさんは、調査の過程で生じた段ボール何箱にも及ぶ膨大な書類を惜しげもなくバーリントン氏に見せ、どんな質問にも快く、また誠実に答えてくれました。これは筆者がコッケルさん宅でインタビューした時も同様でした。バーリントン氏同様、筆者もコッケルさんの記憶を「メアリ自身の記憶である」と結論づけざるを得ない、と思いました。

【データベースの分析】過去生の家族と出会った場合のその後

藤蔵の家族と「再会」を果たした勝五郎やコッケルさんのような場合、過去生の家族との行き来は継続されるのでしょうか。それとも途切れてしまうのでしょうか。

また、途切れてしまった場合、何が理由なのでしょうか。この点についてデータベースを検索した結果は以下の表の通りです。

当事者が過去生の家族と「再会」を果たした場合、両家族の行き来は続く場合が多いようです。

両家族の行き来は継続していたか

データ入力時点でも継続していた	継続していたが入力時点では途切れていた	途切れていた	合計
257 (56.4%)	119 (26.1%)	80 (17.5%)	456

※不明な310件を除く

途切れた場合の理由

当事者の興味が薄れた	17	(11.7%)
過去生の家族の興味が薄れた	16	(11.0%)
当事者が引越した	6	(4.1%)
過去生の家族が引越した	5	(3.4%)
当事者の家族が過去生に執着するのを心配した	17	(11.7%)
過去生の家族の負担が大きくなった	9	(6.2%)
当事者の家族が過去生の家族に利用されていると感じた	9	(6.2%)
その他	66	(45.5%)
合計	145	

軍歌の得意な少年　岩下光行氏の事例

幼い頃から周りの環境に違和感を持ち、独自の調査で過去生の人物と思われる存在を突き止めた日本人に岩下光行氏がいます。

千葉県在住の岩下氏（１９６８年3月22日生まれ）は、幼少の頃から、「何かに気付いてくれ！」と訴えられているような感覚を持っていました。また、左記の文字や映像、音を聞くと胸がざわつくような感覚、特に懐かしさや悲しみ、を覚えました。

李香蘭（歌手、1920-2014）、胡弓の音色、２２６、北一輝、はいからさん、大正ロマン、広島…。特に気になったのが第一次世界大戦から第二次世界大戦にかけての中国大陸、満洲国に関することでした。

岩下氏は小学生の頃から軍歌を歌うのが好きで、また得意でした。１９７０年代後半から広く普及するようになったカラオケに収められていたほとんどの軍歌を歌うことができました。声変わりする前の小学生が甲高い声で歌う軍歌に驚く大人たちの姿に心地よさを感じました。同時に、次のくだりになると涙がこみ上げてきました。（これは２０２１年3月の時点でも変わらないそうです。筆者の前でも哀愁迫る歌声で何曲かを披露してくださいました。）

「戦友」（1905年）ここはお国を何百里／離れて遠き満洲の赤い夕陽に照らされて…
「麦と兵隊」（1938年）徐州徐州と人馬は進む…遠く祖国を離れ来て／しみじみ知った祖国愛…声を殺して黙々と／影を落して粛々と…
「加藤隼戦闘隊」（1940年）干戈《かんか》交ゆる幾星霜／七度重なる感状の／いさおの蔭に涙あり…
「空の神兵」（1942年）たちまち開く百千の／真白き薔薇の花模様／見よ落下傘空に降り…

また、李香蘭の歌う「蘇州夜曲」（1940年、李香蘭主演の映画『支那の夜』挿入歌）にはとても心が惹かれました。李香蘭は、子どもの頃の岩下氏にとって、アイドル的存在でした。

1978年、大正時代の破天荒な女学生と美男の青年将校の恋物語を描いた『はいからさんが通る』がテレビアニメとして放送されるのを観て、なんとも言えない懐かしさを感じ、束の間の幸せな時代だった大正ロマンに思いを馳せました。

10代前半（1979年頃）、初めて広島を訪れ平和記念公園を歩いていた時、なぜか「この町に住みたい、この地の大学に進みたい、ここで暮らしたい」という思いに駆られました。

戦後の自虐史観教育に対する反発心

中学生になり学校で歴史を学ぶようになると、「226事件」「北一輝」「日本改造法案大綱」という文字に目が留まるようになりました。これらの文字を見たり、音を聞いたりすると、胸騒ぎを感じ、青年将校たちを「反乱軍」とする見方に違和感を覚えました。

同じ頃、支那事変や大東亜戦争に参加した軍人を全て極悪非道人のようにのみ伝えるメディアや、それに同調する大人たちに大きな違和感を持っていました。その時の気持ちは次のようなものであった、と岩下氏は語っています。

「あなたたちを護ろうとして死んでいった人たちを、どうしてそんなに悪く言うのですか？」

「わずか数世代前の自分たちの祖先がどのような世界で死んでいき、生き延びようとしたのかをもっと考えてください」

「なぜ僕らの誇りを奪うような教育ばかりするのですか？」

「満洲はもっと幸せな場所だった。五族協和、みんな仲が良かった」

「自分たちが時間を稼ぐから必ず生き抜いてくれと手榴弾を胸に抱えて戦車に潜り込んでいった人もたくさんいるのに、そのお陰で今、命がある人もたくさんいるはずなのに」

「誰も人を殺したくて戦争に行ったんじゃない。あの時、自分たちが行かなかったら、祖国と家族、未来の子どもたちを護るために誰が戦地へ行くのか！　震える魂を懸命に抑えて戦地に行った人もたくさんいるのに」

世間の大人たちと同じような見解を持ち、事実を伝えるどころか向き合おうともしない親族たちには、怒りのような不満を感じていました。

「これは自分の前世だ！」

１９８６年に大学に入学、海外に留学したものの父親の他界により中断を余儀なくされました。父親が死んだ後、人生の羅針盤を求めていたような最中、ある書店で岩下氏の目に留まったのが、ブライアン・ワイス博士の『前世療法』でした(34)。早速購入し一晩で読了。「前世（過去生）があるとすれば、自分の前世は何だったんだろう？」と前世の存在に思いを馳せるきっかけとなる重要な出来事でした。

１９９１年、大学を卒業して就職したものの不本意な仕事に悶々としていたところ、中国の上海で仕事をしないかという誘いがあり、「これこそが自分の天命だ」と感じ意気揚々と中国大陸に渡りました。９月７日。奇しくも他界した父親の誕生日でした。

中国では普通話（中国語の標準語）を話せるようになったり、音色に魅せられた胡弓を弾けるようになったり、比較的充実した時間を過ごしましたが、仕事の事情で１９９７年に帰国を余儀なくされました。

帰国後、母親がガンで入院することになり、見舞いに行った後、岩下氏は久しぶりに実家に戻りました。写真アルバムの収められた棚に不自然に古いアルバムがあるのを見つけ、開いてみると、終戦直前の１９４５年６月、20歳の時に出征し近衛師団第一連隊に入隊した頃の父親の写真がありました。

さらにページをめくると、軍服を着た見知らぬ男性の写真が出てきました。誰なんだろう、といぶかしく思った次の瞬間、撮影された場所のことが頭に浮かびました。

「中国大陸だ！　もしかして満洲じゃないか⁉」

そう思うと、全身に鳥肌が立ち、涙が溢れ出しました。

自分と同じような丸い眼鏡をかけた顔。
自分と同じように、ミッション系の学校で学んだことを示す教会の写真。
軍服姿で片膝をついた写真。
慰問袋を眺めている写真。
現地の子どもたちを抱いている写真。

そして、胡弓を手にした写真を見た時、岩下氏は確信しました。

「これは自分の前世だ！」

急いで病院に戻り、写真の男性について母親に訊ねたところ、「そう言えば、芳郎さんという人がいたらしい。戦争で中国へ行っていた。戦死したのだと思う」との返事が返ってきました。岩下氏は県庁に足を運び、父親の軍歴の記録を閲覧しました。そしてそこに芳郎氏に関する記載があるのを見つけました。

独立混成第八旅団並北支方面軍司令部に在り支那事変勤務及大東亜戦役支那方面勤務に従事。大正５年８月11日生、昭和19年２月26日戦死　享年29歳（※数え年、満年齢では「享年28歳」）。

過去生の人物・芳郎氏との人生上の共通点

芳郎氏は、岩下氏の父親の叔父でした。１９３９年（昭和14年）、岩下氏が中国に行った年齢と同じ25歳の時に、日中戦争のため中国に渡っていました。

しかし、肺を痛めたため１９４３年に帰国していました。中国で戦死したわけではなかったのです。芳郎氏が帰国した時の年齢は、岩下氏が中国から帰国した29歳とほぼ同じ28歳でした。

1943年8月24日に青島《チンタオ》港を出た芳郎氏は、8月27日に広島県の宇品港に到着し、所属は近衛歩兵第三連隊補充隊に転属し、広島陸軍第二病院に収容されました。

芳郎氏は、同年9月7日に広島から東京陸軍第一病院に転院となりましたが、翌1944年2月26日にそこで亡くなりました。226事件の8年後のことでした。芳郎氏の経歴を見た岩下氏は、幼少の頃からの奇妙な感覚や体験に対する疑問が氷解していくのを感じました。大正時代への郷愁は、芳郎氏が少年期を過ごした時代だからに違いありません。

10代で広島を訪れた時に不思議な懐かしさを感じたのは、帰国後、東京に移送されるまでの10日ほどを過ごしたのが広島だったのが理由のように感じられました。

軍歌が得意だったこと、故国を思う歌詞に胸がいっぱいになったこと、戦後の自虐史観教育に反発を感じたこと、軍人たちに侮蔑の言葉を投げかける大人たちに憤りを感じたこと、命日である226という数字が気になって仕方なかったこと。自分の過去生が芳郎氏であれば、腑に落ちるものばかりでした。

（※芳郎氏の赴任先である石家荘や北京は一般に言われる満洲より南ですが、当時の中国は、1938年3月28日に成立した維新政府や地方自治委員会などが統治するようになっていて、地方での散発的な蒋介石軍や八路軍（共産党軍）との小規模な戦闘以外は、ゲリラによるテロを警戒する程度でした。[35] 芳郎さんは赴任地も含めて漠然と「満洲」と意識していたのでは

岩下光行氏が自分の過去生の人物だと確信した父親の叔父・岩下芳郎氏

胡弓を持つ岩下光行氏

ないかと推測されます。）

岩下氏が調査を行うまで、芳郎氏は親戚の間でも完全に忘れられた存在でしたが、氏の調査がきっかけで親戚の家で眠っていた軍人手帳や辞令、叙勲の記録などが見つかりました。岩下氏が奉納したことにより、靖国神社と並ぶ遊就館の1階18号展示室のパネルの52番。右から3列目、上から9列目には戦友たちに混じり芳郎氏の写真（上記）が掲載されるようになりました。

芳郎氏の「発見」以来、岩下氏は大東亜戦争に深く関係する人物との深い縁を感じることが増えました。いずれの人物も芳郎氏と直接つながっていたと推測できるものの、確定までには至っていませんので、ここでの記載は控えますが、いずれ岩下氏がつながれていた糸を発見されるのではないかと思います。

アメリカ南北戦争・ゴードン将軍の記憶　ジェフリー・キーン氏の事例

44歳のジェフリー・キーン氏は、その日、休暇を利用した妻のアンとの二人旅の途中でした。故郷のコネティカット州ウェストポートを出発し、ニュージャージ州、ペンシルベニア州を経てメリーランド州に入り、南北戦争（1861-1865）の重要な戦地アンティータムに到着。南北戦争に興味もなければ、関連の本を読んだこともなかったキーン氏でしたが、戦地に行かなければならない、という強い衝動を感じてやって来たのです。最初にコーンフィールドとして知られる戦場を訪れました。二番目に訪れたのがサンクン・ロードでした。そして問題となる小道を数メートル歩いたところで、キーン氏は激しい感情に圧倒されたのです。

1メートル80センチ、90キロ超の全身に、まるでフルマラソンを走ったかのような疲労を感じながらも、キーン氏はなんとか気持ちを落ち着かせ自動車まで戻りました。キーン氏の様子に異変を感じた妻は何があったのか、と訊ねましたが、キーン氏は何も答えることができませんでした。

次の年のハロウィーンの日、この日が誕生日の友人が開いた誕生パーティーにキーン氏が参加した時のことです。余興の一つとして、バーバラ・キャムウェルという手相占い師がいて、参加者は列をなして手相を見てもらっていました。キーン氏の手のひらを見た占い師は驚きの声を上げました。「猿線（頭脳線と感情線が一本につながっているもの）があるなんて、これまで一人しか見たことがないわ！　あなたは二人目よ！」改めてキーン氏の左手を見た占い師は「この線は気が触れた人にしか見られない線だけど」と言い、続けて右手を見て「ちゃんとそれをコントロールできているわ」と付け加えました。さらに続けて、

「過去生って信じますか？」と彼女が言いました。

「ええ」と答えたキーン氏が、続けて一年前にサンクン・ロードで起きた不思議な出来事について話すと、占い師は答えました。「あなたはそこで死んだからよ」

「それは面白い」とキーン氏。

少しの間深く考え込んだ後、占い師は言いました。

「あなたの身体の上を漂って下を見た時、非常に腹を立てて『ばかな！』と言ったのです」

少し間をおいた後、キーン氏は「まだ早い！」と言いました。なぜそんなセリフが口をついて出たのか、氏には分かりませんでした。

キーン氏は、まだ訊ねたいことがあったので列に並び直し次の二つの質問を訊ねました。

「その時、私が死んだというのは確かなのですか？」

「ハワイに行った時に幽霊らしきものを見たのですが、あれは誰だったのでしょう？」

一つ目の質問に対して占い師は「あちこち撃たれて穴だらけだったのですよ」と答えました。二つ目に対しては「おそらくあなたの過去生で関係した人物だと思うわ」という答えでした。

自分と瓜二つの顔

それから一年半ほど経ったある日、キーン氏はシャーブルックを訪れた時に買った南北戦争に関する雑誌を手にしていました。南北戦争に関する書籍を買ったのはその時が初めて。しかも「買わなければ」という衝動に駆られて購入したにもかかわらず、不思議なことに一年半の間、開くことのなかった雑誌でした。サンクン・ロードに関するページを見ていたキーン氏の目にある言葉が飛び込み、髪の毛が逆立ちました。

「まだ早い！」

キーン氏が占い師に対して思わず発したセリフでした。それは、南軍の将軍の一人であるジョン・B・ゴードンが発砲許可を求める兵士たちに対して発した言葉だったのです。

戦いの様子を読み進めるにつれ、キーン氏の目に涙が溢れてきました。続いてゴードンが戦闘で負った傷について書かれている箇所に目を通しました。左腕を撃たれ、続いて右肩を、そして二度右脚を、そして顔を撃たれ、出血多量で意識を失った。占い師が「死んだ」と言っ

ゴードン将軍

ジェフリー・キーン氏

たのはこの時のことだ、とキーン氏は思いました。

実際にはゴードンは死んではいませんでしたが、瀕死の状態だったのは確かです。占い師が言ったのは、ゴードンの意識が肉体を離れその周りを漂っていた時のことだったのでしょう。

次のページをめくるとサンクン・ロードの写真がありました。その隣のページのゴードン将軍の写真を見て、キーン氏は再び髪の毛が逆立つのを感じました。ゴードン将軍の顔が、毎朝ヒゲを剃る時に鏡で見る自分の顔と同じだったのです。

雑誌を読み進めると、南軍の名将として知られるリー将軍が出した命令書191号にまつわる記述がありました。シャープルックでの戦略の詳細を記したもので、各地の軍に向けて9通が発送されたのですが、そのうちの1通が北軍の手に落ち、結果的にシャープルックの戦いでの敗北につながったのです。その命令書の書かれた日付は1862年9月9日とありました。見慣れた日付、9月9日は、キーン氏の誕生日でした。

雑誌にはゴードンの別の写真も掲載されていました。その写真のゴードンは、二列ボタンで襟首に三つの星の付いた上着姿でした。キーン氏が勤務するウェストポート消防署での制服も二列ボタンで、襟首には三つのトランペットが付いていました。

ゴードン将軍との驚くべき一致

次の日、図書館でゴードン将軍が記した『南北戦争の思い出』(36)という本で、アンティータム(シャーブルック)の戦いについて書かれている部分を読みました。戦闘の詳細を読み進めるうちに、幼い頃の思い出が蘇ってきます。

7～8歳の頃、祖父が作った木製のベンチを横にし、胸壁に見立てて遊んだこと。仮想の敵に撃たれて、ゴードンが実際にやったように、片手、片足だけで床を這っていたこと。穴を掘り厚板を乗せた後、厚板の上に土を盛るという砦を作ったが、それが南北戦争時に作られた砦と同じだったこと。過去生記憶を持つ子どもが遊びを通して過去生の人物の人生を再現することはよくありますが、キーン氏の行動はその子どもたちを彷彿とさせます。

1992年11月、キーン氏は公認ヒプノセラピストでサイキック（霊能力者）でもあるジーン・ルーミス氏のもとを訪れ、ゴードンを巡る出来事を話しました。ルーミス氏から「過去生記憶が蘇ったことには理由がある。戦争の記憶の場合、魂が『人を殺すのはたくさんだ。自分は人を救いたいんだ』と言っているのかもしれない」と言われたキーン氏は、空軍で看護兵を務めた後、地域の病院に勤務し、その後、消防署勤務になった自分のキャリアに想いを馳せました。そのヒプノセラピストの勧めで朝晩、瞑想を実践するようになったキーン氏は、瞑想中に、そして覚醒時にも、ゴードンと自分とのつながりについて気づくようになりました。それは、ゴードンの著書を読み進み、所縁の地に足を運ぶようになるにつれて、より強固なものになりました。それらを列挙します。

・1977年、30歳の誕生日（9月9日）、右顎から肩にかけてひどい痛みに襲われ、病院に駆け込んだ。数時間で痛みはおさまったが原因は不明だった。シャーブルックの戦闘でゴードンが受けた5発目の弾丸は左目の下から入り、頸静脈をかすめて右顔面から出て行った。1862年9月17日、ゴードンが30歳の時であった。

・キーン氏の左目の下にある原因不明の母斑の位置が、ゴードンが受けた5発目の弾丸の入った場所と一致する。

・ゴードンには右耳の中程から頬をジグザグに横切る傷跡があったが、同じような傷がキーン氏にもある。
・キーン氏の右足のふくらはぎに小さなクモ状静脈瘤が、少し上により大きな静脈瘤があるが、怪我などでできたものではない。二つの静脈瘤の位置が、ゴードンが戦闘で負った傷の位置と一致する。
・キーン氏は左手前腕にあった原因不明の静脈瘤を手術で除去してもらっていたが、その位置がゴードンが負傷した位置と一致する。
・ゴードンの著書における戦場の描写から、火災現場との共通性を見出し、ゴードンの気持ちが手に取るように理解できた。
・キーン氏は子どもの頃、二列ボタンの赤いシャツが大のお気に入りだったが、戦闘中のゴードンも同じような軍服を着ていた（二列ボタンの赤いシャツを着ている子どもなど当時もいなかったし、現在もいない）。
・南軍のリー将軍と北軍のグラント将軍の間で降伏条件について話し合われたマクリーン・

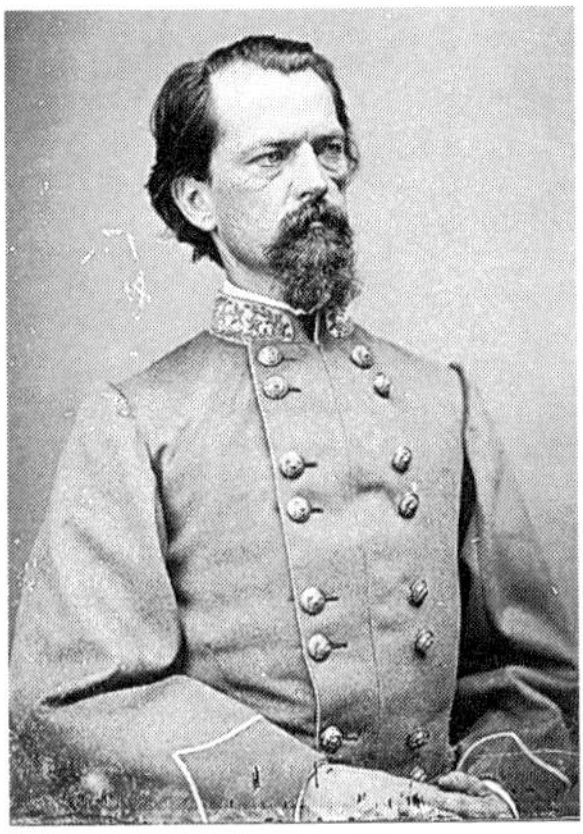
軍服姿のゴードン将軍

ハウスを訪れたキーン氏が、降伏の様子が描かれた絵の中の旗を見て「降伏の交渉で使われたものと違うのではないか」と感じガイドに質問したところ、実際の降伏の場面で使われた旗ではないことが判明した。

・ゴードンとその妻の墓、ゴードンの息子の墓（19歳の時、腸チフスで死亡）、ゴードンの娘の墓（命名前に死亡）を訪れた時、サンクン・ロードで経験したような激しい感情の波に襲われた。

・調査の過程で見つけた写真を見ているうちに、ゴードンの左目の上に星型の黒いシミのようなものがあるのに気づいた。ある本にゴードンがバージニアでの小競り合いで、それた弾丸を額に受け大出血したが、怪我自体は大したことがなかった、という記述があったのでその時のものと思われるが、キーン氏の中学時代の次の体験と関連する部分があるように思われた。校内で壁から突き出たボルトに額をぶつけ、学校の保健師が驚くほど激しく出血したことがあったが、その時の怪我の痕跡が左目の上に星型の傷跡として残っている。

・ゴードンの著書の中の、瀕死のゴードンを懸命に看病した妻に関する記述や、単身で遠征中のゴードンが宛てた妻への手紙から大変な愛妻家であったことを知ったが、最愛の妻の正式の名前が一般に言われているファニー（Fanny）ではなくフランセス（Frances）だったことを知り、キーン氏は次のような少年時代のエピソードを思い出し納得した。13歳頃、ある同級生の女性に密かに恋心を抱き、ペーパークリップの端を使って、自分の手の甲を引っ掻き、その女性のイニシャルを刻み込んだ。なぜそこまで入れ込んでしまったのか不思議だったのだが、女性の名前がゴードンの妻と同じフランセス（Frances）だった。

また、キーン氏の事例を調査したウォルター・セムキウ博士の求めに応じて、キーン氏の書く文章の文体とゴードンの文体を比較した言語学者のミリアム・ペトラック教授（カリフォルニア大学バークレー校）は、両者が非常に似ていると指摘しています[37]。

さらに興味深いのは、ゴードン将軍の身近にいた人物の生まれ変わりと思われる人物が、キーン氏の身近にいる、という事実です。

キーン氏は自身の著書で、写真掲載の同意が得られた3人の同僚の写真を、南北戦争時代の将軍の写真と並べ、容貌が似ていることを示しています[31]。3人のうちの誰も過去生記憶を持っていないので、あくまで容貌の類似と、キーン氏の直感的な判断によるものですが、キーン氏とゴードンの容貌の類似や人生上の共通点を考慮に入れると、そうであってもおかしくない、と感じさせるだけの説得力があります。

【データベースの分析】　過去生の人物と似た顔

キーン氏とゴードン将軍のように過去生の人物と現在生の人物の容貌が似ている、という事例は少なくありません。過去生の人物と現在生の人物の容貌の類似と両者の血縁的な関係について、データを見てみましょう。

同一家族・近親者の事例とそうでない事例を比べると、前者の方が過去生の人物と現在生の人物の容貌が似ている割合が高いのは事実ですが、血縁関係のない事例でもかなりの類似性が見られるようです。母斑や先天性欠損と同じように、過去生記憶は容貌にも影響を与えるように見えるデータです。

過去生の人物と現在生の人物の容貌の類似と両者の血縁的な関係

	同一家族・近親者	それ以外
顔が非常に似ている	33 (23.2%)	25 (6.7%)
顔がある程度似ている	75 (52.8%)	156 (41.9%)
似ていない	34 (23.9%)	191 (51.3%)
合計	142	372

被曝の記憶　日系アメリカ人・トユキさんの事例

トユキさんは、1997年生まれで5歳から米国に住んでいる日系アメリカ人です。母語は英語ですが、10代の頃から定期的に日本を訪れており、流暢な日本語を話します。もっとも、トユキさんによれば「日本語を学んだ」というよりは、「思い出した」という感覚だそうです。

トユキさんが過去生記憶を思い出したきっかけは瞑想でした。2018年1月、前年に知り合ったフィアンセの声を聞きながら瞑想状態に入ったトユキさんの脳裏に突然ビジョンが浮かびました。見慣れない服装…見慣れない制服…見慣れない景色…。

瞑想が終わって眠りについたトユキさんは体の「異変の記憶」を思い出しました。灼熱の炎に焼かれるような感覚、燃えるような口いっぱいの口内炎…圧倒的にリアルな体験は1時間ほど続きました。それ以来、唐突にビジョンが浮かび、次のような記憶が蘇るようになりました。

・1929年生まれ、誕生日はおそらく6月6日。
・広島の田舎に住んでおり、厳島神社を訪れたことがある。
・母親と一緒に、水を汲みに家の近くの井戸に行っていた。
・畑で大豆を作っていた。

・洋服を着ていたことが多く、裕福だった。
・父親は洋服を製造する工場の管理者（社長だったかもしれない）。
・戦争になって洋服の需要が減り会社が潰れた。
・不思議な食事の場面。正座で食卓に座っている。ネギとお椀だけの食事。お椀の中には白いブヨブヨしたものが入っている（後に「すいとん」だと知る）。
・現在生では一度も経験したことのない地震の体験。おそらく小学生くらいの時、家人が留守で自分の他にいたのは犬だけ。食卓のそばに座っている時に大きな揺れを感じ、あわてて食卓の下に避難しようとした（※気象庁の地震データベースによれば、トユキさんが小学生だったと思われる時期（1930年代～1941年まで）に広島県内で震度4以上を記録した地震としては、1937年2月27日の周防灘地震があります。震度3も含めれば、1936年11月12日、1938年1月2日、1940年9月26日、1940年10月18日、1941年2月14日に記録が残っています）。
・桜に対する憧憬《しょうけい》のような想い。恋心を抱いていた男性が特攻隊で戦死したが「ここに帰って来てくれている」という思いで桜の木を見ていた。

これらのビジョンは、トユキさんにとって不思議だったいくつかのことを説明してくれました。現在生では経験したことがないにもかかわらず幼い頃から地震が怖く、「地震」という言葉だけでも嫌だったこと。桜に対して昔から大切に思う気持ちを持っていたこと。軍歌に強い嫌悪感を持っていること。口内炎は原爆症の症状の一つだということも知りました[38]。おそらく広島の原爆での被曝が原因で亡くなったのではないか、トユキさんはそう感じています。

(30) Cockell, Jenny (1993) *Yesterday's Children: The Extraordinary Search for My Past Life Family*. London: Piatkus.

(31) Keene, Jeffrey J. (2003) *Someone Else's Yesterday: The Confederate General and Connecticut Yankee*. Nevada City, CA: Blue Dolphin.

(32) 岩下光由記（２０１９）『前世から届いた遺言』東京：文芸社。

(33) Barrington, Mary Rose (2002) "The Case of Jenny Cockell: Towards a Verification of an Unusual 'Past Life' Report." *Journal of the Society for Psychical Research*, 66(2), No. 867, 106-112.

(34) ブライアン・L・ワイス／山川紘矢・山川亜希子訳（１９９６）『前世療法：米国精神科医が体験した輪廻転生の神秘』東京：ＰＨＰ研究所。

(35) 水間政憲（２０１３）『ひと目でわかる日中時代の武士道精神』東京：PHP研究所。

(36) Gordon, General John B. (1903) *Reminiscences of the Civil War*. New York: Charles Scribner's Sons.

(37) Semkiw, Walter (2011) *Born Again: Reincarnation Cases Involving Evidence of Past Lives, with Xenoglossy Cases Researched by Ian Stevenson, MD*. N.p.: Pluto Project.

(38) 調来助（長崎大学原爆後障害医療研究所資料収集保存・解析部）「私の原爆体験と原爆障害の大要」<https://www.genken.nagasaki-u.ac.jp/abcenter/shirabe/index.html#11>（２０２１年９月12日アクセス）

第八章　実は身近な過去生記憶

「生まれ」か「育ち」か

「あれ、どうする？」

「うちは、夫がアメリカ人だからやったわ」

「うちは、そのままにしておこうと思う」

アメリカ在住の日本人女性の間でこのような会話が時折交わされます。話題は男性器の包皮切除手術。かなりの割合（国連の報告によれば60～90％）で新生児がこの手術を受けるアメリカで[39]、そのような習慣のない日本人女性が男児を出産した場合、手術を受けさせるかどうかの選択で悩む場合も少なくありません。根強い反対意見はあるものの、世界的な問題となっている女子割礼と違ってリスクが小さいとされる包皮切除手術ですが、悲劇が皆無というわけではありません（※以下のブルースの事例については章末の文献[40]参照）。

1966年4月27日、カナダのセント・ボニフェス病院で、ライマー家の生後8カ月の双子男児が包皮切除手術を受けようとしていました。双子の名前はブルースとブライアン。一卵性双生児の二人の外見は見分けがつかないほどそっくりでしたが、性格はまるで違っていました。ベッドの中でも落ち着きがなく活発に動き回る兄のブルースと、おとなしく物静かなブライアン。最初に手術を受けたのはブルースでした。

執刀医は外科用メスではなく電気焼灼器を用いて包皮の切除を試みました。人為的ミスか機器の誤作動か、その両方か定かではありませんが、過剰な電流が流れブルースは事実上、性器を失いました。その日、ブライアンの手術は行われませんでした。事情を知り、悲嘆に暮れる両親に「救いの手」を差し伸べたのはカリスマ的人気を誇った性科学者ジョン・マネーでした。マネーは、ブルースを女の子として育ててはどうか、と提案したのです。

マネーは半陰陽者（いわゆる両性具有）の研究から、生まれた状態の赤ん坊は性的には未分化であり、男性、女性の性的行動や志向は成長過程で体験する出来事を通して形成されるものである、と信じていました。このマネーにとって、ブルースとブライアンは、自分の理論の正しさを証明するデータを提供してくれる可能性を秘めた、この上ない素材でした。

一卵性双生児のブルースとブライアン。肉体的な条件は同じです。その片方を女性として育て、もう片方を男性として育てた結果、前者は女性として、後者は男性として問題なく成長できれば、「育て方が性差を生み出す」とするマネーの理論は完璧に立証されたことになります。通常の双子は肉体的にも同一なので、男性器の存在、あるいは女性器の存在や胸のふくらみが、男性らしさや女性らしさの獲得を促してしまいます。しかし、ブルースの場合には男性らしさを促す肉体条件が欠落しています。男性性のシンボルを持たない男性を女性として育て、完全な女性に仕立て上げる、それはマネーが手にした千載一遇の機会だったのです。

打ち砕かれたマネーの理論

藁《わら》をも掴む思いでマネーの助言に従った両親は、ブルースをブレンダと改名、性転換手術を受けさせ、女の子として育て始めました。女の子の衣服を着せられ、女の子の友達と遊ぶよう促され、定期的にホルモン治療を受けさせられたにもかかわらず、ブレンダ（ブルース）は女の子としての生活に馴染むことができず、「女の子にしたてあげようとする」マネーに会うことも拒絶するようになりました。ブレンダ（ブルース）が14歳の時、意を決した父親が事実を伝えました。怒り、疑念、驚愕、様々な感情が渦巻く中で、この時のブレンダ（ブルース）が最も強く感じたのは「突然、あらゆるものの辻褄が合った感じだった」といいます。

その後、ブレンダは男性として生きることを決意し、名前もデイヴィッドと変えました。1990年には女性と結婚し、子どもの継父にもなりましたが、2004年、自ら死を選び波乱の人生の幕を閉じました。ブレンダの悲劇的な結末によって打ち砕かれたマネーの理論は、今となっては暴論にも見えますが、古くから続く「ネイチャー vs ナーチャー（生まれか育ちか）」論争の一コマだと言うことができます。ブレンダの例は、性差には環境によっては乗り越えられない生まれつき決められた性質があることを明らかにしていますが、それは全て遺伝によって決められている、ということを意味するのでしょうか。

異性の過去生記憶を持つ子どもの方が、同性の過去生記憶を持つ子どもよりも、性的に不適合な性質を示すというデータは、「生まれ」と「育ち」に加えて、「過去生」を考慮する必要があることを示唆しています。「生まれ」でも「育ち」でも説明できない恐怖症、嗜好、技術や特技（天才的な能力）、人間関係、特定の思想、性的不一致などは、過去生を想定することで少なくとも「不明」とされている原因の一部を説明することができます[41]。

なお、現在では、環境によって遺伝子の働きを促進したり抑制したりする（遺伝子のスイッチをオンにしたりオフにしたりする）現象の存在が明らかになり、この分野を研究する学問をエピジェネティクスと呼んでいます。エピジェネティクスの重要性を双子研究を通して明らかにしたティム・スペクターの著書[42]の書評で評者の丸山敬氏は「憶測ではあるが、ヒトを決めているのは、ゲノム塩基配列25％、エピジェネティクス25％、環境25％、そしてノイズ（確率的変動）25％としておこう」と述べています[43]。「ノイズ」のうちのいくらかは過去生記憶で説明できるのではないか、というのが本書の主張です。

恐怖症の原因

１９６２年にスリランカで生まれたシャムリニーは入浴させようとすると泣き叫び、必死で抵抗しました。その激しさに、大人が三人がかりで入浴させなければならないほどでした[44]。

成長して話ができるようになったシャムリニーは、自分の過去生の人物だという近くの村に住んでいた11歳の女の子の記憶を話しました。女の子は道を歩いていた時に、バスを避けようとして、田んぼに落ちてしまったのです。生憎《あいにく》洪水のため田んぼは水で溢れており、溺れて死んでしまいました。シャムリニーの水恐怖症はこの過去生での記憶が原因のようでした。

韓国アイドルグループf(x)のメンバーのソルリは水恐怖症でした[45]。手で水を汲んで洗顔することができないため、水を手につけ猫のように洗顔しました。シャワーを浴びる時も流れる水に顔を当てることができませんでした。水が怖いため、一度も水着を買ったこともありませんでした。ソルリの告白によれば、幼い頃、教会の修練会で、女性二人に顔を水につけられ苦しい思いをしたのが原因、とのことでした。シャムリニーもソルリも水恐怖症を持っており、いずれもその原因は水に対する恐怖体験にありました。二人の違いは、ソルリの体験が現生でのものであるのに対し、シャムリニーの体験は過去生でのものという点です。

一方で、二人のように水に対する恐怖症を持っているものの、その原因がわからない、という場合もあります。中には幼い頃に水に関する恐怖体験があったがそれを忘れてしまった、という場合もあるでしょう。しかし、それでは説明しがたい例が多数存在します。

水恐怖症を持つ50人の子どもを対象としたある研究では、ごく幼い頃に溺れそうになった等、その原因となりそうな出来事が特定できたのは28例（56％）に過ぎませんでした。それ以外の例では、初めて水に接した段階で恐怖症を示しており、水恐怖症は「先天的」であるように思われました[46]。このような例をどう考えたらいいでしょうか。

一つの解釈は、過去生に原因がある、と考えることです。現在生において、恐怖症の原因となった出来事を記憶していない、という場合は少なくありません。特に、蟻の群れのように小さな黒いものの集合体恐怖症です。例えば、筆者の長女は（病的ではありませんが）集合体恐怖症です。長女はこの恐怖症の原因となった出来事を記憶していませんが、筆者は分かっています。それは筆者にとっては痛恨の出来事でした。

家族で宮崎駿監督の名作『となりのトトロ』を見ていた時のことです。新居にやって来た4歳のメイが、「まっくろくろすけ」（丸くて黒い妖怪）を探す場面になりました。まっくろくろすけが逃げ込んだと思われる節穴にメイが指を入れようとした瞬間、そこからまっくろくろすけの大群が一気に飛び出して、メイはびっくり。一瞬怯んだものの、すぐにまた、まっくろくろすけを追いかけ回し始めました。

ユーモラスなメイの様子に思わず頬が緩む場面ですが、3歳の長女の反応は全く違いました。突然飛び出して来た黒い塊の大群がよっぽど怖かったのでしょう、私にしがみつきガタガタ身体を震わせながら泣き始めました。そして、それ以来、まっくろくろすけの大群を連想させるようなものには激しい恐怖心を感じるようになってしまったのです。

このように、恐怖症の原因となった現在生での出来事を記憶していない場合が多々あると思われます。実際、催眠などを通して、恐怖症の原因を思い出す場合も少なくありません。しかし、時には現在生の出来事をいくら探っても、恐怖症の原因が見つからない場合もあります。そんな時、過去生退行催眠、いわゆる前世療法によって、恐怖症の原因が過去生で見つかる場合もあります。

前世療法で明らかになったブルースの恐怖症の原因

ビジネスマンのブルース・ケリーには深刻な水恐怖症がありました（※詳細は文献(47)）。ブルースは、バスケットボールの奨学金でアメリカ中西部の大学に進学・活躍したスポーツマンで、卒業後もテニス・プレーヤーとしてアマチュアの大会に出場するほどの腕前を誇りましたが、プール文化で有名な南カリフォルニアの地に生まれ育ち、最高の海岸が近くにあるにもかかわらず、泳ぐことはできませんでした。足を水につけることはなんとかできても、身体まで水に浸かろうとすると恐怖が押し寄せてくるのでした。海やプールだけでなく、浴槽でも同じでした。どんな状況であれ、身体を水の中に入れることができなかったのです。

ブルースには閉所恐怖症もありました。エレベーターのような狭い空間に閉じ込められることに堪え難い苦痛を感じました。健康のために歩くことにしているんだ、と言い訳しながらエレベーターを避けていましたが、やむをえず仕事で飛行機に乗らなければならない時は地獄でした。自分の運命を任せなければならない状態で狭い場所に閉じ込められることが大変な恐怖だったのです。

このような恐怖症をなんとか克服しようと、ブルースは前世療法の施術を受ける決心をしました。セッションが始まったのは1987年11月のことでした。この時ブルースは34歳になっていました。最初の2回のセッションでは、1860年代の過去生が想起されましたが、ブルースの恐怖症の原因となるようなものは何も出てきませんでした。しかし、3回目のセッションで登場した人物ジェームズ・ジョンストンは、ブルースの抱えていた問題の核心となる重要な人物でした。

セラピスト：名前は？
ブルース　：ジェームズ。
セラピスト：フルネームで言ってください。
ブルース　：ジェームズ・ジョンストン。
セラピスト：生年月日は？

ブルース：1921年。月と日はわかりません。
・・・
やがてブルースは自分の人生に起こった出来事を詳細に語り始め、潜水艦の乗組員だったこと、潜水艦が日本軍の駆逐艦の攻撃を受けて沈没したことを語りました。ブルース自身と、セラピストの調査を通して、ブルースが語った内容と細部まで合致する人物が、1942年に日本の駆逐艦によって沈没させられたとみられる潜水艦シャーク（SS-174）の乗組員59人の中にいることが判明しました。

前述の筆者の長女の恐怖症の原因となった出来事は現在生で起こったものでしたが、本人はそれを（少なくとも表面的には）覚えていませんでした。

ブルースの例では、恐怖症の原因は過去生の出来事にありましたが、これも34歳で退行催眠を受けるまでは本人の意識に上ることはありませんでした。

幼児期健忘

多くの大人は乳幼児期のことを忘れてしまっているように見え、この現象のことを幼児期健忘と呼びます。研究によって、また性別や文化によって数字は異なりますが、3～6歳以前の出来事について当てはまることが多いようです[48]。

原因については、神経系が未発達であることや、自己が十分に形成されていないこと、言語の発達が十分でないこと、など様々な要因が指摘されているものの、メカニズムの解明には至っていません。しかし、現象が存在している点については疑いの余地はありません。

多くの子どもが成長するにつれて過去生記憶を失くしていくのも、幼児期健忘が理由だと考えることが可能です。実際、第五章で見たように、自分から過去生記憶について話さなくなる平均月齢は88・4カ月（7歳4カ月）であり、幼児期健忘が生じる時期との重なりが見られます。だとすれば、「過去生記憶などない」と訴える大人の中にも、幼児期健忘によって幼少時に持っていた「過去生記憶」を思い出せなくなってしまった例が含まれると考えることもできます。

もっとも、幼児期健忘は常に起こるとは言えないようで、乳幼児期の印象的な出来事についてはっきり記憶している、と主張する大人は多数存在します。

筆者自身も1歳9カ月頃の出来事を鮮明に記憶しています。玄関先に佇《たたず》み、弟を出産したばかりで入院中の母親を思い、「おかあちゃんは？」と泣いている自分に対し、「かあちゃんは病院」と父親にたしなめられた場面です。物心ついた頃、父親にその話をしたところ、「科学的な研究によると2歳前の記憶が残っていることはありえない」と否定されたために余計強く印象に残っているのかも知れませんが、筆者にとっては「記憶」と呼ぶしかないもので、否定されても過去生記憶や中間生記憶、胎内記憶がある、と主張する子どもたちの気持ちはよく理解できます。

実は残っている乳幼児期の記憶

幼児期健忘の話の直後に、それをひっくり返すような話をしますが、乳幼児期の記憶は消失してしまったわけではなく、実は潜在的に残っている、と考えられる証拠があります。

デーヴィッド・チェンバレンは子ども（9〜23歳）とその親（32〜46歳）のペアを10組選び、両者を催眠状態に誘導して出生時の記憶を引き出しました。

その結果、出産の時間、場所、居合わせた人、使われた器具、生まれ方、など両者の記憶の間には多くの共通点が見られました。子どもと親のペアが語った内容における共通点と食い違った点の数を挙げたのが次頁の表です(49)。

デーヴィッド・チークは、胎内記憶について同じような実験を4組のペアに対して行い、やはり子どもが語った内容と親が語った内容の間に多くの共通点があったと報告しています(50)。

このような事実から、幼児期健忘によって失われたかに見える記憶も、実は潜在的な記憶として保持されていると考えられます。催眠によって、潜水艦の乗組員だった過去生記憶を思い出したブルース・ケリーの事例が示すように、潜在的な記憶の中には、現在生の過去の記憶だけでなく、過去生の記憶も保持されている、と考えられます。そして、その記憶と結びついた体験が現在生における体験では説明のつかない恐怖症や嗜好、技術や特技、人間関係、特定の思想、性的不一致、などの原因となっていると解釈することができます。

人の意識を普段意識している顕在的な部分と、普段は意識されない潜在的な部分に分ける古典的なモデルを使えば、成長とは顕在的な意識と潜在的な意識の区分が次第に明瞭になる、つまり、両者を隔てる壁が次第に厚く強固になるプロセスだと考えることができます。そして、催眠などで壁が薄くなる、あるいは、過去生での所縁の地に行く（七章のジェフリー・キーン氏の事例）、過去生の写真を見る（同章の岩下氏の事例）、などの引き金となる出来事によって顕在化する、と考えられます。このように考えると、過去生記憶は多くの人が潜在的に持つ記憶の一つだと言えるのではないでしょうか。

「生まれ」でも「育ち」でも説明できない恐怖症や嗜好、技術や特技（天才的な能力）、人間関係、特定の思想、性的不一致。これらを有していたら、それは潜在的な過去生記憶の発露なのかも知れません。

ペア番号	①	②	③	④	⑤	⑥	⑦	⑧	⑨	⑩
共通点	12	12	9	9	16	19	8	13	24	15
相違点	1	1	0	1	0	0	1	4	0	1

(39) Joint United Nations Programme on HIV/AIDS (2010) *Neonatal and Child Male Circumcision: A Global Review.* Geneva: Joint United Nations Programme on HIV/AIDS.
(40) ジョン・コラピント／村井智之（２００１）『ブレンダと呼ばれた少年』東京：マクミラン・ランゲージハウス。
(41) Stevenson, Ian (1977) "The Explanatory Value of the Idea of Reincarnation." *Journal of Nervous and Mental Disease*, 164(5), 305-326.
(42) ティム・スペクター（２０１４）『双子の遺伝子：「エピジェネティクス」が２人の運命を分ける』東京：ダイヤモンド社。
(43) 丸山敬（２０１５）「５０００組の双子研究が示すヒトの運命と遺伝子の役割」（書評）、『日経サイエンス』１月号、１２０頁。
(44) Stevenson, Ian (1977). ***Cases of the Reincarnation Type, Volume II: Ten Cases in Sri Lanka.*** Charlottesville, VA: University Press of Virginia.
(45) イ・スンロク（２０１３）「f(x) ソルリ、水恐怖症になった理由を告白「水の中に顔を入れられ…」」*Kstyle.* <https://news.kstyle.com/article.ksn?articleNo=1972590>（２０２１年９月12日アクセス）
(46) Menzies, Ross G.and J.Christopher Clarke (1993) "The Etiology of Childhood Water Phobia." *Behavior Research and Therapy*, 31(5),499- 501.
(47) Brown, Rick (1990) *The Reincarnation of James: The Submarine Man.* Glendora, CA: Rick Brown.
(48) MacDonald, Shelly, Kimberly Uesiliana, and Harlene Hayne (2000) "Cross-cultural and gender differences in childhood amnesia." *Memory*, 8(6), 365–376.
(49) デーヴィッド・チェンバレン／片山陽子訳（１９９１）『誕生を記憶する子どもたち』東京：春秋社。
(50) Cheek, David B. (1992). "Are Telepathy, Clairvoyance, and 'Hearing' Possible in Utero? Suggestive Evidence as Revealed During Hypnotic Age-Regression Studies of Prenatal Memory." *Pre- and Peri-Natal Psychology Journal*, 7(2), 125–137.

第九章

心の力・自死・何が生まれ変わるのか

心の力の大きさ

生まれ変わり事例を見ていくと、過去生記憶の肉体への影響の大きさに驚くような事例があります。先天性欠損の事例です。

「過去生で銃で撃たれた場所と一致する母斑がある」「過去生の遺体に印をつけた部分に母斑がある」といった、過去生記憶と関係する母斑の事例はここまでいくつか見ましたが、指や足の一部が欠けている「先天性欠損」の事例も多数存在します。スティーブンソンが１９９７年の大著で報告している例を見てみましょう。(14)

例えば、１９５６年10月にビルマ（ミャンマー）に生まれたマ・ミント・セイン・マウングという１９２１生まれの男性の記憶を持っていました。マ・ミント・セインはウ・セインには生まれつき両手の指に障害があり、以下のような状況でした。

右手の親指：非常に短い
右手の人差し指：ほぼ付け根から消失
右手の中指：付け根より少し上で消失
右手の薬指：第一関節付近で消失

右手の小指：第一関節付近で消失
左手の親指：非常に短い
左手の人差し指：第二関節付近で消失
左手の中指：第二関節付近で消失
左手の薬指：第一関節付近で消失
左手の小指：第一関節付近で消失

また、親指以外のほとんどの指に輪ゴムで締め付けられたようなくぼみがありました。マ・ミント・セインは、殺される前に剣で両手の指を切られた、と語りましたが、実際、ウ・セイン・マウングは１９５６年の最初（政治的騒乱のために正確な日付は不明）に両手を切られた後、さらに首を切られて殺害されていました。マ・ミント・セインの指の障害は、ウ・セイン・マウングが受けた傷と対応していました。

１９６６年にトルコに生まれたスレイマンは、前年の11月28日に喧嘩の最中にシャベルで後頭部を殴られて死んだメメット・ベクラーの記憶を持っていました。その時の傷と対応するように、スレイマンの後頭部は生まれつき大きく陥没していました。

スティーブンソンが挙げている、先天性欠損の原因と考えられる過去生での事故・事件を一覧にすると、次のようになります。

先天性欠損の原因と考えられる過去生での事故・事件

事故による四肢欠損
殺害時の四肢欠損
過去生の人物が持っていた欠損
死ぬ直前に唇を噛んだ時の裂傷
頭部への打撃
爆弾の爆発
首吊り
ハンセン氏病
死後の遺体の切断
縄で縛られた痕
銃創
刃物による傷
壊疽（えそ）

過去生記憶と肉体的な欠損との関係をどのように考えたらいいでしょうか。

「心の力」で生まれた欠損？

一つの解釈は、死の直前の被害者の意識が被害を受けた部分に集中したため新たな肉体の形成に影響を与えた、というものです。

意識の集中が肉体に大きな影響を与える、そんなことがありうるのか、という声が聞こえてきそうですが、実は心のあり方が肉体に大きな影響を与えることがある、という事実は広く見られます。

例えば、宗教の世界で見られる「聖痕」。「聖痕」とは、イエス・キリストが磔《はりつけ》にされた時に釘を打たれた箇所（手または手首と足）に傷が現れ血が流れるという現象で、アッシジのフランチェスコ（1182-1226）のような敬虔な人物に現れたと報告されています。医学的に調査され、自ら傷つけたとは考えにくいと判断されたものも少なくありません。「神の奇跡」とする解釈も可能ですが、自らをイエス・キリストと一体化するような敬虔な信者の意識の力が身体に作用して聖痕を作り出した、とも考えられます(51)。

想像妊娠もよく知られた現象です。筆者の知人は17歳の時、当時つきあっていた男性の子どもを宿したと信じ、生理がなくなる、胸が張る、子どもがいるような幸福感を感じる、という状況が3週間ほど続いた、と語ってくれました。大きなニュースになった例としては、2010年、アメリカのノース・カロライナ州で医師が妊婦を帝王切開したところ、想像妊娠だったことが判明した、というニュースが報じられ、世間を驚かせました。[52]

その4年後の2014年、カナダのモントリオールの例では、5つ子を出産予定の女性とボーイフレンドが出産費用を賄うために寄付を呼びかけ、多くの支援が寄せられました。そのおかげで、5つのベビーベッドまで準備され、用意万端で子どもを迎えられる状況が整いました。ところが、出産のため病院に行ったところ、深刻な顔をした医師がボーイフレンドに打ち明けました。「妊娠していなかった」、と。[53]

最も権威ある医学雑誌の一つである『ランセット』に掲載されたある論文では、かつてロープで手首を縛られたことがあった患者がその出来事を思い出した時に、患者の手首にロープで縛られたようなくぼみがくっきりと浮かび上がったという現象が、その時の写真と合わせて報告されています。[54] 本物の薬でなくても、服用したり投与されたりすると、症状が軽くなったり消えたりする偽薬効果はよく知られていますが、心臓の手術や膝の関節症の手術でさえ、実際の手術よりも患部を切開した後、何もせずに縫合しただけの偽手術の方が効果があった、という医学的な報告までありま す。[55・56]

このように大きな力を持つ心が、新たな肉体に宿る時にその形成に影響を与えた、過去生記憶と対応する先天性欠損の場合には、そのように考えることができるのではないでしょうか。

死ぬ時の心の状態の大切さ

第五章で紹介したエイ・ジョウは、過去生で殺されかけた時に自分がとった行動について、興味深い発言をしています。

「敵がこちらに銃を向けた時、仏塔にブッダの像を寄進するという功徳となる行為に意識を集中したんだ」

この行為は、「死ぬ時の心の状態が死後の世界での状態や、生まれ変わった時の状態に影響する」という仏教における信仰を反映したものです。（※このような考えは、ヒンズー教や、一般には生まれ変わりを認めないキリスト教にも見られるようです。[57・58]）

過去生で死を迎えた時の意識の影響で先天的な欠損が生まれたのだとしたら、死ぬ時の心の状態が重要と考える宗教的な考えには裏付けがあった、ということになるでしょう。思わぬ死を迎えることになっても、できることならエイ・ジョウのように、死への恐怖にとらわれず、功徳となる行為に集中したいものです。もっとも、そのためには、いつ死を迎えても大丈夫なように心の準備をしておくことが必要ですが。

自死した記憶を持つ子どもたち―やはり避けた方がよい「自死」

過去生で自死を選んだ記憶を持つ子どもたちがいます。そしてある程度詳しい報告がなされているものは（少なくとも）次の12例におよびます(59)。

・23歳の時、警官に捕まりそうになったため拳銃で自らの命を絶った記憶を持つセミル・ファリシ（トルコ）。
・16歳の時、母親との口論がきっかけで自ら服毒して死んだ記憶を持つファルク・アンダリー（トルコ）。
・16歳の時、異なるカーストに属する男性と恋に落ち、身内に猛反対されて焼身自死した記憶を持つラジャーニ・シン（インド）。
・53歳の時、ビジネス・パートナーに裏切られ、破産を苦に拳銃で自死した記憶を持つルプレヒト・シュルツ（ドイツ）。

・17歳の時、好きでもない女性と結婚させられそうになり、首を吊って死んだ記憶を持つナヴァルキショア・ヤダヴ（インド）。

・アメリカに来たものの馴染めず、内戦状態の故国に帰ることもできない状況に悩み、24歳の時に首を吊って死んだ記憶を持つワル・キワン（レバノン）。

・22歳の時、ガールフレンドに裏切られたことを知って絶望し、首を吊って死んだ記憶を持つクルズ・モスキンスキー（アメリカ）。

・恋愛関係にあった男性との結婚を認められず、意図的に肺炎になって28歳で死亡した記憶を持つマルタ・ロレンズ（ブラジル）。

・家族とうまくいかず、18歳の時、自動車事故を起こして命を絶ったロルフ・ウルフ（ドイツ）。

・男性に生まれたかった、と女性であることを悩み、19歳の時に毒を飲んで死んだ記憶を持つパウロ・ロレンズ（ブラジル）。

・様々なトラブルに見舞われ、21歳の時に高所から飛び降りて死を選んだ記憶を持つカズヤ君（日本）。

・男性として失格だ、と悩み、28歳の時に殺虫剤を飲んで死んだ記憶を持つジャシラ・シルバ（ブラジル）。

自死を選んだ者のこのような生まれ変わり事例は、自死を選んだとしても、必ずしも地獄（のようなところ）で永遠に苦しむわけではないことを示唆しています。とは言え、日本の事例であるカズヤ君は次のように語っており、自死は避けた方がよさそうです。(60)

・自死をした場合、自死したことを悔やんで「反省部屋」と呼ばれる暗い場所に入る。（自死以外でも、生前の行いを悔やんでいる人は「反省部屋」に入る。）誰かが裁くというわけではなく「悪いことをしてしまった」という思いによってそこに入ってしまう、という感覚。
・肉体がなくなり魂だけの状態になった時には、自分の死を悲しむ人たちの姿が見えて、自分が犯した過ちを深く悔やむ。
・十分反省し、もう一度やり直す決意ができたら、また生まれてくることができる。
・自分は前の人生で悲しい思いをさせた人を喜ばせるために、もう一度（前の家族の元に）生まれてきた。

自死そのものはよくないことではあるけれども、だからと言って、自死した魂が永遠に苦しみ続けるわけではなく、やり直す機会はある、というのが体験に基づくカズヤ君の言葉です。

自死後の世界—「反省の闇」に入る

カズヤ君の語る内容は、死者からのメッセージを受け取り、それを関係者に届けにいく「魂のメッセンジャー」としての活動を行っている元福島大学教授の飯田史彦氏の報告と酷似しています。自死した男性からのメッセージをその妻に伝える場面で、飯田氏は以下のように、自らの意思で「反省の闇」に入ると述べています。(61)

ご主人は、生前に奥様を大切にしなかったことや、自分勝手な自殺をしてしまったことに対して、たいへん深い罪悪感を抱いていらっしゃるんです。そこで、大いに反省するために、死後すぐに、自らの意思で、「反省の闇」に入られたんですよ。ですから、ご主人が、自分を許せるようになって、「反省の闇」から出る自信がつくためには、まず何よりも、奥様のお許しが必要なんです。

ここでは「反省の闇」と表現されていますが、カズヤ君の語る「反省部屋」と同じものを指すようです。飯田氏は次のように説明します。

自殺なさった方が入る「反省の闇」っていうのは、そういう真っ暗闇の部屋や場所が実際に存在するわけじゃなくて、自分自身を闇で覆ってしまうという意味なんです。自殺なさった方は、死後すぐに、取り返しのつかないことをしてしまった自分を猛反省して、あまりの情けなさに、「自分はもう、光の姿に戻る資格など無い」とか、「こんな自分では、ほかの光たちに会うのが恥ずかしい」などと思って、まるで人間が、恥ずかしい時に顔を隠すように、自分を真っ暗闇で覆ってしまうんですよ。

また、「反省の闇」は、自らの意識で作り上げたものなので、罪悪感や後悔の念が無くなれば消える、と飯田氏は説きます。

奥様がご主人のことを許して差し上げたら、その瞬間に、ご主人は深い罪悪感と後悔の念を手放すことができ、魂として、光としての自尊心を取り戻せるので、もとの、まぶしく輝く光の姿に戻ることができるんです。そのことを、我々の世界では、俗に、「成仏する」などと表現しているんですよ…「成仏する」というのは、亡くなったご本人が、終えたばかりの人生で犯した罪に対する罪悪感や後悔を手放し「まぶしく輝く光」としての自尊心を取り戻す、という意味なんです。

カズヤ君は自ら「反省部屋」に入ると表現していますが、飯田氏は「反省の闇」というのは自分を闇で覆ってしまうこと、と表現しています。

言い方は異なりますが、どちらも死後の状態を決定するのは自分の心のあり方であることを示しており、その点で「母斑や先天性欠損が心のあり方によって生み出される」という、本章の冒頭で見た解釈と通じるところがあります。

フェニモアの臨死体験—地獄とは心の状態

臨死体験研究からも自死が通常の死とは異なる体験になる可能性が指摘されています。

臨死体験研究を最初期から牽引してきたケネス・リングは、病気、事故、自死未遂の三つの原因で臨死状態になった102人の体験を分析し、原因による体験の違いを比較しています。リングは臨死体験を、

第一段階：平穏な気持ち
第二段階：意識が肉体から離れる
第三段階：暗闇に入る（トンネル体験）

第四段階：光を見る
第五段階：光の中に入る

の五つに分けていますが、自死未遂者は臨死体験自体をする割合が低く（33・3％）、しかも第四段階や第五段階まで行った体験者がいないことを明らかにしています。[62]（ただし、その後、自死未遂による臨死体験者でも他の原因による臨死体験者と変わらないとする研究結果も発表されています。）

では、実際の体験に耳を傾けてみましょう。
うつ状態に悩まされていたアンジー・フェニモアは、自分の存在が家族の負担になっていると思い悩み、夫と二人の子どもを残して死ぬことを決意しました。ナイフで手首を切った後、薬を過剰摂取したことによって意識を失い、臨死状態になりました。[63]
フェニモアは轟音とともに引っ張り上げられ、下に横たわっている自分の体を見ました。やがて、トンネルの中に吸い込まれましたが、中の壁は金色で、太い血管や毛細血管が何本も走っています。自分の誕生の瞬間を再体験しているようでした。続いて、母親に抱かれる自分、幼少の頃の出来事…次々に人生回顧が進んでいきます。

人生回顧が終わると、自分が完全に真っ黒な空間にいるのに気づきました。四方に果てしなく広がる闇。闇といっても、ただの闇ではない、無限の虚空。そこで出会った陰鬱な人たちは皆自死した人のようで、いくら試みても意思の疎通はできませんでした。やがて、さらに深い暗黒の場所に引き落とされ、そこでも多くの自死した人たちに出会いました。そこでは誰とも心を通わせることができず、完全にひとりぼっちだという感覚が次第に強まり、恐ろしい孤独感に襲われました。

フェニモアは、やがて、聖なる存在に導かれながら、自分の人生について振り返っていきます。また、地獄について、彼女はこんなふうに語っています。

地獄というのは、ある特定の次元でもあるが、基本的には、心の状態といってよい。死んだあとの運命は、その人が考えてきたことで決まる。現世においては、自分や他人の心に闇が広がるのを許し、そういう考えに基づいて行動すると、その考えがしだいに強固になり、より忌まわしいものになっていく。わたしは、実際に死ぬずっと前から地獄にいた。ただ、自殺するそのときまで、自分の行動の結果から逃げまわっていたので、自分が地獄にいることに気づかなかったのだ。しかし、死んでしまうと、似たような考えの人がひとところに集まるので、心の状態はずっと明確になる。そうした運命は、人間が現世で選んだ生き方と、まったく自然に、矛盾なくつながっている。人間の一生は、創造という永遠の過程からすれば、心臓が一回脈打つほどの時間にすぎないが、それでも重要な真実の一瞬であり、転機である。永遠の過去と永遠の未来を生きるわたしたちの魂のあり方を、その一瞬が決めるのだ。

フェニモアの体験では、自死した魂は一人ではなく、互いに交流はないものの、同じ場所に存在しており、カズヤ君や飯田氏の語る内容と違うように見えます。しかし、この違いは、フェニモアがまだ生き返る可能性を有していた段階だったからではないかと考えられます。フェニモアが見た、他の自死者たちは、自らが作り出した闇に入り込み、近くに存在する他者に気づくことなく、自らの行いを反省しているのではないでしょうか。

いずれにしても、フェニモアの「地獄というのは…心の状態といってよい」という言葉は、心の力の大きさを考えた時、非常に納得のいくものだと思います。

「生まれ変わり」の観念が自死を抑止する

「生まれ変わり」の考えが自死を促す、という俗説が評論家から出されたりしますが、東京大学の堀江宗正氏の死生観に関するアンケート調査によれば「生まれ変わり」の観念が自死を抑止する方向に働いているようです。例えば、死生観に関するアンケート調査への回答（回答者１０３８名）を分析した堀江宗正氏は、生まれ変わりを信じる人はそうでない人に比べて自殺に強く反対する傾向があることを指摘して、「『生まれ変わり』の考えは自殺を促すという、評論家などが唱える俗説は明確に否定されたと言えるだろう」と結論づけています。[64]

さらに、人生を魂の成長と捉えた場合、「生まれ変わり」の観念は与えられた生を精一杯生きる原動力となります。

２０１８年夏に行われた第１００回全国高等学校野球選手権記念大会では、秋田県代表の金足《かなあし》農業高校の活躍が「金農《かなのう》旋風」と呼ばれる社会現象を引き起こしました。金農の三つの校是「（１）自主：寝ていて人をおこすなかれの精神を生活の規範とする（２）勤労：勤労を尊び汗することをいとわぬ心を養う（３）感謝：自他の生命を尊重し自然の恵みに感謝する豊かな心を育てる」は、秋田県農業の神様と呼ばれる石川理紀之助（1845-1915）の精神を受け継いだものです。農業の発展に多大な功績を挙げた理紀之助は、60歳近い老齢（当時の基準では）になっても、午前2時に起床して勉学を1日も怠らず、世のために力を尽くす自分の原動力は、只心を磨き上げて、生まれ変わった時によい人間として生まれたいからだ、と記しています。[65・66]

京セラ・第二電電の創業者で、経営者育成のための稲盛塾を開設したり、日本発の国際賞である京都賞を創設するなど社会活動にも多大な貢献をしてきた稲盛和夫氏は、心・魂をより美しくする作業が現世を生きる目的だと思っている、と述べていますが、それは、来世に持っていけるのが心・魂だけだから、今生きている間にそれを磨いておかなくてはならない、という人間観に基づいたものです(67)。

「いじめ」について—臨死体験者の人生回顧

自死について触れたので、自死と並んで大きな社会問題となっている「いじめ」についても簡単に触れておきましょう。ただし、この問題について直接ヒントを与えてくれるのは、「生まれ変わり」事例ではなく、臨死体験です。

臨死体験の中で生じる人生回顧は、体験者によっては、単に映画を見るように第三者的に自分の人生の出来事を見るのではなく、自分と関わりをもった人たちが、それぞれどう感じていたかまで分かる、非常に密度の濃い体験のようです。

25歳の時にバイクの事故で死にかけ、臨死体験をした巽一郎氏は、体験中の人生回顧について、次のように語っています(68)。

それで、よく死にかけた人たちが自分の人生がパラパラ漫画のように見えるっていうでしょ？　そのとおりなんですよ。日常のささいな出来事などの膨大な情報が一気に思い出されてくる。たとえば、４歳の時に隣のター坊を殴ってしまったことなど。それが25歳の頭で再生されるんです。それも、相手の気持ちの側から思い出すんですよ。ター坊の立場からすると、「なんで、こいつにこんなことをされなあかんのや！」みたいな気持ちですね。そして、25歳になった僕が「ああ、悪かったな」と反省をしながら、そのことを振り返るような感じ。

もっと深刻ないじめや悪行、そして殺人（と言っても戦争による合法的なものです）までをも回顧した人生回顧体験も報告されています。体験者は１９５０年7月生まれのダニオン・ブリンクリー。25歳の時、落雷で実質的に死亡した時の体験です。ブリンクリーの人生回顧は次のような人生の出来事を思い出しながら進みました。(69)

・小学4年生の時、別の男子からお金を脅し取られていた。父親に相談したところ、ナイロン・ストッキングに砂を詰め、両端を結んで棍棒を作る方法を教えてもらった。その通りに作って闘ったところ勝ってしまい、喧嘩の味を覚えた。

・小学5年生の時、近所で一番強いと言われていた子どもの家に行き、その子を殴りつけて自分が一番強いことを証明した。

・小学6年生の時、女の先生に授業中騒がないように、と注意された。いやだ、と答えるとその先生はブリンクリーの手を掴んで校長室に連れて行こうとしたので、ブリンクリーは手を振り解くとアッパーカットをくらわせて打ちのめしてしまった。

・小学7年生（中学1年生）の時、あまりの素行の悪さに三日目にして停学処分を受けた。

・高校の頃、一番喧嘩が強いと評判で、週に一度は近くの駐車場で決闘をしていた。

これら一つ一つの出来事をブリンクリーは相手の立場になって追体験していきました。自分のような悪童を持った両親の心の苦痛も手に取るように感じられました。

少年時代の回想で一番辛かったのは、甲状腺腫の持病がある生徒を「首から腫れ物が突き出ている！」と言っていじめた場面を思い出した時でした。他の級友もいじめには加担していましたが、ブリンクリーのいじめが最もひどく、自分がこの少年に与えた屈辱感や苦しみを自分のものとして感じました。

大人になって軍の仕事をしていた時のことも鮮明に思い出しました。

ベトナム戦争のとき、カンボジアのジャングルに潜む北ベトナム軍の大佐を狙撃して頭を吹き飛ばした場面で大佐が感じた、頭が吹き飛ばされた時の混乱や二度と家には帰れないと気づいた時の苦痛、そして、家族の悲痛な気持ちを感じました。

アメリカの考えと対立していた政府の役人を殺害するためにベトナムとの国境あたりに派遣された時、ボディーガードに守られた役人を射殺するのは難しいので、役人のいるホテルごと爆破したことがありました。滞在客の50人ほどを巻き添えにしましたが、当時のブリンクリーは犠牲者のことを「あの役人と行動をともにしていたんだから、死ぬのは当然の報いだ」と笑い飛ばしていました。しかし、臨死体験中の回想では、自分たちの人生が突然断ち切られたことに気づいた人々の苦悩や、その人たちの家族が愛する人たちを失った時の苦しみを感じ、それは正真正銘の恐怖体験でした。

ブリンクリーは、アメリカに帰国してからアメリカに友好的な国や人に極秘で武器を輸送したり、銃の撃ち方や爆破の仕方などの技術を教える仕事をしていましたが、ある回想では自分が輸送して現地に残してきた武器によって罪もない人が殺される場面を目撃し、父親が殺されたと聞いて泣き叫ぶ子どもたちの悲しみを感じました。

これらの回想では、何をしたかより、なぜそうしたのか、ということの方がはるかに重要で、喧嘩をふっかけられたために人を殴りつけたときよりも、理由もなく人を殴りつけたときの方がずっと心が痛みました。面白半分に誰かを傷つけた場面を思い出すのは、何より辛いことでした。

また、人生にとって一番大切なのは、人にどれだけ愛情を与えてきたか、人からどれだけ愛情を受け取ってきたか、であり、自分自身の人生は非常に情けないものであったと深く恥じ入りました。

臨死体験後、奇跡的に回復を遂げたブリンクリーは、生き方を大きく変え、ホスピスでボランティア活動を行うなど、愛ある行為に重きを置いた人生を送るようになりました。

そして1988年5月、ブリンクリーは手の傷からブドウ球菌に感染し、最初の臨死体験で弱っていた心臓が損傷を受け、瀕死の状態に陥りました。この時、2回目の臨死体験が始まりました。

人生回顧の前半は1回目と同じで、25年間の出来事を身を切られる思いで追体験しました。しかし、後半の14年間の回顧は、自分の愛ある行いによって心が満たされた人たちの喜び・安堵・幸福感を自分の気持ちのように追体験しました。この時の気持ちをブリンクリーは「善行が花火のようにはなばなしく打ち上げられていた。それは、まるでアメリカ独立記念日の花火大会のような気分だった」と語っています。

これらの報告を見ると、孔子の「己の欲せざるところ、人に施すことなかれ」やイエス・キリストの「あなたが人にしてもらいたいように、あなたも人にしてあげなさい」に代表される黄金律は、真実の言葉であるように思われます。

超能力か生まれ変わりか

生まれ変わり現象をどう解釈するのか、という点について大きく二つの解釈があります。この問題を理解していただくには、ミディアム（霊媒）現象の二つの解釈について説明しておく必要があります。

有能なミディアムが故人に関して本人の知らないはずの情報を入手できるというのは実験的にも確認されている事実ですが、情報の入手方法については二通りの解釈があります[70]。

一つは、肉体が滅んだ後も残った故人の意識と交信して情報を入手しているとする「（人間の意識の）死後存続仮説」。もう一つは、故人について知っている人の意識や、故人に関する記録にアクセスして情報を得ているとする「生者サイ仮説」です。

人間が様々なサイ能力を持っていることは実験的に何度も確認されていますが、有能なミディアムが驚くべきサイ能力を示した事例も多数報告されています。（※サイ能力とは、テレパシーや透視、予知のような、五感によらない知覚（超感覚知覚）と意思の力で物体に影響を与えることを指す総称です。）

例えば、著名なミディアムであるパイパー夫人について、物理学者で心霊研究協会のメンバーでもあったオリバー・ロッジ（1851-1940）は、次のようなエピソードを紹介しています。ロッジが医者をしている友人を無理矢理パイパー夫人の交霊会に連れて行った時のことです。霊現象など全くありえないと思っているその医者は「友人のよしみで行くが、協力はしない」と宣言して参加しました。パイパー夫人がトランス状態になると、パイパー夫人のいわゆる指導霊が次のように言いました。「おまえには子どもが4人いる。ひとりは13才の女の子、奇麗な黒い目をした『かわいいデイジー』。片方の目の上に小さい変わった傷跡か痣があって、気の毒だが足が悪い。かわいいとは言えない男の子もいるが、本人のためにも学校に通わせた方がいいな。おまえは、消化不良になると熱い湯を飲むことにしているな。それから最近、危険な目にあったことがあるな。海の上で滑って転びそうになった」

医者はびっくり仰天してロッジに、言われたことはほとんど当たっている、と伝えました。彼は、息子を学校に入れるかどうかで迷っていました。夏にはヨットで危険な事故にあっていました。娘のデイジーは黒い目をして左目の上に小さい頃に転んでできた小さな傷跡がありました。もっとも、脚は悪くなかったので、この点ではミディアムは間違っているように思われました。

翌日、医者がもう一度交霊会に参加したところ、パイパー夫人の指導霊は、医者に向かって

「きのうは一つ間違った。脚が悪いのは、おまえの友人の娘だった。デイジーは耳が悪い」と言いました。その通りでした。デイジーは幼いころ、高熱が出て、耳がきこえなくなっていたのです。この医師はパイパー夫人に今度は何が暴かれるかと恐くなって、それ以後、交霊会には参加しませんでした[71]。

この場合、パイパー夫人の指導霊が霊的な力で当該の医師に関する情報を入手した、という「死後存続仮説」も成立しますが、指導霊はあくまで夫人の人格の一部であり、夫人がテレパシー能力で医師の意識にアクセスし情報を入手したという「生者サイ仮説」による説明も可能です。この問題はミディアムの研究が開始された当初から意識されており、ミディアム研究はミディアム現象の真正性の確立と並行して、どちらの仮説がより説得力を持つのかを解明しようとする挑戦でもありました。

生まれ変わり現象の場合の「生者サイ仮説」

生まれ変わり現象の場合、「生者サイ仮説」では当事者である子どもがサイ能力を発揮して故人を知っている生者や、故人に関する記録にアクセスし、故人の情報を入手した、と考えますが、そのような説明を聞くと次のような疑問が湧いてきます。

（1）当事者である子どもは、故人に関する情報以上のもの、例えば、故人が持っていた技能や恐怖症、嗜好など、を持つことがあるが、それはなぜか。

（2）当事者である子どもは、過去生の人物の負った傷に相当する母斑や先天性欠損を持つことがあるが、それはなぜか。

（3）当事者である子どもは、なぜ特定の人物を選ぶのか。生者サイ仮説が正しければ、多くの人物の過去生記憶を語ってもいいはずではないか。

（4）当事者である子どもは、なぜ過去生の人物と関係する人物に対して、過去生の人物が持っていたのと同じ感情を持つのか。

（5）過去生と現在生の間の記憶はどのように説明されるのか。なぜ特定の人物の父親や母親、特定の人物に関する出来事だけを標的として情報を入手するのか。

生者サイ仮説を主張する研究者たちは、次のように説明します。

まず、（1）について、少なくとも技能については人間の持つ潜在的な力が現れただけではないか、と主張します。人間には普段隠された驚嘆すべき能力があることは、サヴァン症候群が示しているところです。１９８８年に公開された映画『レインマン』でよく知られるようになりましたが、なんらかの発達障害を持った人が驚異的な記憶力、計算力、語学力などを示す現象です。過去生記憶を持つ子どもがサヴァン症候群であるという証拠はありませんが、サヴァン症候群に見られるように人間一般には潜在的に巨大な能力があり、過去生記憶を持つ子どもは過去生記憶と合致した潜在能力を発現した、という解釈です。

（2）については、過去生の人物の記憶が母斑や欠損を生み出したのではなく、むしろ、母斑や欠損と合致した人物の情報をテレパシー的に入手した、と考えることができます。

しかし、（3）〜（5）についての説明は難しく、死後存続仮説の方がずっと整合性のある説明が可能ではないかと思います[72]。

何が生まれ変わるのか？

肉体の死後も意識が残り、それが新たな身体に宿るとして、その意識とは何なのでしょうか。イアン・スティーブンソンは、意識を運ぶ容器として心搬体（psychophore）というものを想定しています（第五章末の文献[14]参照）。

古くから肉体の他に幽体・霊体・本体・アストラル体・コーザル体、など様々な名称で肉体を超えたレベルの「体」の存在が語られてきましたが、特定の宗教や教えと結びつきやすいそれらの用語の代わりに考案された名称の一つと言っていいでしょう。

心搬体のような「入れ物」を仮定する必要があるのかどうかについては議論が割れるところですが、いずれにしても、意識とは何か、という問題が解決されない限り明確な答えを得ることは難しいと思います。

現時点で筆者が強調しておきたいのは、第十章で紹介するような、人間の意識を適切に説明できる新しいパラダイムを模索する研究者たちが精力的に研究を進めているということ、そして、そこから出てくる知見に期待できるのではないかということです。

(51) Zusne, Leonard (1989) *Anomalistic Psychology: A Study of Magical Thinking*. New York: Psychology Press.

(52) James, Susan Donaldson (2010) "Doctors Perform C-Section and Find No Baby." *ABC News*. <https://abcnews.go.com/Health/ReproductiveHealth/pregnant-mother-section-doctors-find-baby/story?id=10262881>（２０２１年９月12日アクセス）

(53) ABC News (2014) "Woman Has Phantom Pregrancy, With Quintuplets." *ABC News*. <https://abcnews.go.com/blogs/health/2014/03/24/woman-has-phantom-pregnancy-with-quintuplets>（２０２１年９月12日アクセス）

(54) Moody, Robert (1946) "Bodily Changes During Abreaction." *The Lancet*, 248(6435), 934-935.

(55) Cobb L. A., Thomas G. I., Dillard D. H., Merendino K. A. and Bruce R. A. (1959) "An Evaluation of Internal-Mammary-Artery Ligation by a Double-Blind Technic." *New England Journal of Medicine*, 260 (22), 1115-1118.

(56) Mosley, J. B., K. O'Malley, N. J. Peterson, T. J. Menke, B. A. Brody, D. H. Kuykendall, J. C. Hollingsworth, C. M. Ashton, and N. P. Wray (2002) "A Controlled Trial of Arthroscopic Surgery for Osteoarthritis of the Knee." *New England Journal of Medicine*, 347(2), 81-88.

(57) Edgerton, Franelin (1926-1927) "The Hour of Death: Its Importance for Man's Future Fate in Hindu and Western Religions." *Annals of the Bhandarkar Oriental Research Institute*, 8(3), 219-249.

(58) Cuevas, Bryan J. and Jacqueline I. Stone (eds.) (2007) *The Buddhist Dead: Practices, Discourses, Representations*. Honolulu: University of Hawai'i Press.

(59) Matlock, James G. (2020). "Suicide and Reincarnation." *Psi Encyclopedia*. London: The Society for Psychical Research. <https://psi-encyclopedia.spr.ac.uk/articles/suicide-and-reincarnation>.（２０２１年９月12日アクセス）

(60) Ohkado, Masayuki (2016) "A Same-Family Case of the Reincarnation Type in Japan." *Journal of Scientific Exploration*, 30(4), 524-536.

(61) 飯田史彦（２００５）『生きがいの創造Ⅱ』東京：ＰＨＰ研究所。

(62) Ring, Kenneth (1980) *Life at Death: A Scientific Investigation of the Near-Death Experience*. New York: Coward, McCann & Geoghegan.

(63) アンジー・フェニモア／宮内もと子訳（１９９５）『臨死体験で見た地獄の情景』東京：同朋社。

(64) 堀江宗正（２０１４）「日本人の死生観をどうとらえるか-量的調査を踏まえて」会議発表論文、東京大学学術機関リポジトリ。

(65) 石川會編（１９３９）『石川翁農道要典』東京：三省堂。

(66) 梁瀬均（２０２０）「金農魂とは何か―受け継がれる金足農業の精神―」放送大学での講義。
(67) 稲盛和夫（２００１）『稲盛和夫の哲学―人は何のために生きるのか―』東京：ＰＨＰ研究所。
(68) 秋山佳胤・池川明・梅津貴陽・巽一郎・長堀優・松久正（２０１９）『いのちのヌード：まっさらな命と真剣に向き合う医師たちのプロジェクト　ヘンタイドクターズ』東京：ヴォイス。
(69) ダニオン・ブリンクリー、ポール・ペリー／大野晶子訳（１９９４）『未来からの生還‐臨死体験者が見た重大事件』東京：同朋社。
(70) Sudduth, Michael (2016) *A Philosophical Critique of Empirical Arguments for Postmortem Survival.* New York: Palgrave Macmillan.
(71) Blum, Deborah (2006) *Ghost Hunters: William James and the Search for Scientific Proof of Life After Death.* London: Penguin Press.
(72) 大門正幸（２０１９）「魂の不死性に関する哲学的考察―死後存続仮説に関する議論を中心に―」『人体科学』28(1)、１～９頁。

第十章　物質中心の科学から心（意識）の科学へ

性・人種・国・宗教を超えて世界をつなぐ思想

2017年8月12日、全米で最も住みやすい街にも選ばれたことのある穏やかなシャーロッツビルが、大きな衝撃に包まれました。白人の権利を主張する人たちの集会に反対する人たちの中に車が突っ込み19人が負傷、一人の女性が死亡したのです。

対立する二つの集会が衝突する事態になったのは、市議会がシャーロッツビルの中心に設置された南北戦争時代の南軍の英雄ロバート・E・リー将軍の像の撤去を決定したことがきっかけでした。奴隷制度継続を目指して戦った男の像は街にふさわしくない、というのが理由です。この決定がなされると、白人の権利を主張する人たちが続々とシャーロッツビルに集結し激しい抗議行動を取り始めました。

この動きに反対する人たちも多数街に繰り出し、デモ活動を行っているところに、白人派と見られる男が運転する問題の車が突っ込んだのです。

筆者は、この事件の2週間後にシャーロッツビルを訪れました。研究交流のためのバージニア大学訪問が目的でした。大学では知覚研究所の研究会で発表を行い、ジム・タッカーやブルース・グレイソンら懐かしい研究者たちとの交流を楽しみました。

その一方で、市街地の様子には胸が痛みました。事件のあった一角を中心に犠牲となったへザー・ハイヤーさんを悼む花束・メッセージが山のように積まれ、店舗の多くは彼女を支持するメッセージボードを掲げていました。リー将軍の銅像は黒いビニールに覆われ、像の周りには平和を訴えるメッセージボードが多数置かれていました。美しい街には陰鬱な影が垂れ込めているようでした。

奴隷制に起因する深い人種対立を淵源とし社会・経済・政治的思惑の複雑に絡み合う問題に対して軽々にコメントはできませんが、今回の事件で敵意や憎悪を表明しぶつけ合った人たちが、事件の現場から５００メートルほど東に位置する場所で行われている生まれ変わり現象に関する研究を知っていたら、その行動は大きく変わったのではないか、そう思わずにはいられませんでした。

本書で紹介した、イスラム教徒の家庭に生まれながらヒンズー教徒の記憶を持っていたナスラディンのように、インド人としての記憶を語ったアカネちゃんのように、日本兵としての記憶を語った多くのビルマ人のように、国や人種、宗教を超えた生まれ変わり事例が存在します。このような事例の存在を知り、次の人生では国、人種、宗教を違えた境遇に生まれる可能性に思いを馳せることができれば、あるいは、過去生において自分は現在とは国、人種、宗教を違えた環境で生きた可能性について想像することができれば、これらの違いに基づく対立は大幅に減るのではないでしょうか。

革命を目指した二人の男の記憶を語ったスリランカの双子の女の子たちのように、異性の記憶を語る子どもの事例も少なくありません。このような事例について知り、次の人生では異性として生まれる可能性に思いを馳せることができれば、あるいは過去生で異性だった可能性について想像することができれば、女性蔑視、男性蔑視に起因する事件や出来事は大きく減るのではないでしょうか。

「子孫のために、次の世代のために、住みよい環境を残すことが我々の務めである」

そんな言葉は、子どもを育てるどころか結婚する意思もない一部の人たちの心には全く響かないようです。しかし、そんな人であっても、自分自身が同じ地球にもう一度生まれてくる、そんな可能性について思いを馳せることができれば、他ならぬ自分のこととして環境を考えることになるのではないでしょうか。

生まれ変わり事例が示唆するように、過去生で培った知識や技能が持ち越されるとすれば、その可能性について知っていれば、今の人生で研鑽を積む励みになるのではないでしょうか。

かつての相棒が双子として生まれてきた、そんな前述の事例が示唆するように、現在の身近な人は過去生でも苦楽を共にした相棒だった、そんな可能性について思いを馳せれば、周りの人たちへの眼差しはずっと優しく、また感謝に溢れたものになるのではないでしょうか。

生まれたばかりの赤ん坊は、もしかしたら過去生で多くの経験を積んだ徳の高い魂かも知れない、そんな可能性に思いを馳せれば、子どもを深く尊重した子育てができるのではないでしょうか。

科学はここまで間違える　ワトソンの子育て論

科学は着実に人間の知を広げ、その知を活かした技術によって私たちの生活を豊かにしてきました。しかしその過程で多くの過ちを犯し、多くの犠牲者を生んでもきました。第八章で見た、「性差は後天的に作られたものである」というジョン・マネーの学説（思い込み）によって女の子として育てられたブルースの悲劇は、その一例でしょう。そして、マネーの考えは当時のアメリカを席巻していた行動主義心理学の、今から考えると信じがたい理論に基づいていたのです。

アメリカ心理学会の会長で心理学のみならず当時の人間観に多大な影響を与えたジョン・ワトソン（1878-1958）は、子育てに関する著書『乳幼児と子どもの心理学的なケア（*Psychological Care of Infant and Child*）』の中で次のような考えを披露しています。[73]

・親に対して生まれつき愛情を持つ赤ん坊などいない。

・赤ん坊の愛情反応は皮膚を叩くという刺激の結果に過ぎない。それは科学的な実験で確認されている。
・刺激を与え続けることで、赤ん坊は母親に愛情行動を示すことを学習し、やがてそれは子どもを支配するようになる。その過程に本能や知性は必要ない。
・親が愛情を示すという刺激を与え続けると、赤ん坊が外界について自ら学びコントロールしようとする機会を奪うことになる。
・親が子どもにキスしたり、子どもを抱き上げて揺らしたり、膝の上に乗せて揺すったりするたびに、子どもが将来世界と対峙していくことのできない人間にしていくのである。
・愛情による特定の人物との結びつきは赤ん坊にとって危険なので、赤ん坊が1週間ごとによく訓練された別々の看護師によって世話を受けるような共同体ができたら理想的である。

ワトソンのこの考えは、心理学を物理学のような科学にしたい、という多くの心理学者の願いを色濃く反映したものでもありました。ワトソンは次のように考えました。

「心」のような目に見えず実験もできないようなものを扱っている限り、いつまで経っても心理学は科学にはなれない。一方、人間の行動・反応は目に見えるし実験も可能である。人間の行動・反応は、一定の刺激を受けることによって学習した結果ではないだろうか。そのような実験を考案し、この仮説の正しさを証明しよう。実際に実験をしてみたらそのような結果が得られた（有名な実験として、11カ月の幼児を対象とした恐怖に関する実験があります。幼児にネズミを見せ、幼児が触ろうとすると、大きな音を立てて恐怖心を与えます。それを繰り返すと、ネズミを見ただけで幼児は恐怖心を覚えるようになりました。この実験から、大人の抱く恐怖心も同じような幼児期の体験によって学習されたものである、と結論づけられました）。「心」に言及しない形での心理学研究は可能である。これを推進していこう。

そして、行動主義心理学という強力な学説が形成され、大きな力を持つようになりました。この影響は赤毛猿を用いたハリー・ハーロウ（1905-1981）の実験やジョン・ボウルビィ（1907-1990）の孤児院での研究などを通して愛情の重要性が再確認されるまで続きました（必ずしも現在も払拭されたとは言い難い側面があります）。その間に数多くの親が切実な欲求に抗《あらが》い涙を飲んで、我が子を抱き上げるのを、我が子にキスするのを、我が子をあやすのを思いとどまりました。多くの子どもが本来受けられていたはずの愛情を受けることができず、大変な苦しみを味わいました。

「スポック博士の育児書」の空恐ろしい助言

ワトソンの学説の影響を受けた子育て観は、その流れを汲む『スポック博士の育児書』を通して日本の子育てにも大きな影響を与えました。この育児書には、次のような筆者にとっては空恐ろしく感じる「助言」が並んでいます。(74)

・あなたの赤ちゃんが、だっこの味をおぼえてしまった甘ったれやだとします。赤ちゃんがむずかってだっこをねだっても、あなたは、やさしく、しかし、はっきりと、これとこれは今日やってしまわなければならないのだからといいきかせなさい。

・やりはじめた最初の日の一時間が、いちばんつらいでしょう。その間は、ほとんど、お母さんは姿をみせないし、話しかけないというふうにした方が、かえってうまくいくかも知れません。こうすると、赤ちゃんの注意がなにか他のものに向けられやすいのです。

・いったん抱いて歩いてやると、こんどは下に置いたときに、そうさせまいとしてさわぎたてるにきまっています。そばにすわっていてやっても、いつまでもうるさくだだをこねるようなら、なにか別の用事をみつけて、それにかかってしまうことです。

筆者が幼い頃には「抱き癖がつくから赤ん坊が泣いても抱いてはいけない」という女性がたくさんいたように記憶しています。今では「幼いうちに思い切り抱っこして愛情をかけておかないと自尊心が育たない」と真逆な助言がなされますが、「抱っこ禁止」は人間の本性を無視した「科学理論」によって社会が多大な被害を被った代表的な事例の一つだと思います。

植物状態の患者の意識

「集中治療室で働くすべての看護師・医師はこのビデオを見るべきである」、心ある医療の普及を目指すグループ「ハーツ・イン・ヘルスケア」が作成したそんなタイトルのビデオがあります(75)。その中では、集中治療室で治療を受けた患者キャシーが自分の体験を訴えています。

腫れ上がって完全に閉ざされた視覚。
ワイヤーを通され、完全に固定された顎。
人工呼吸器を通してかろうじて維持されていた生命。
しかし、耳だけは聞こえていました。

誰かがやって来て機械を取り付け、ものも言わず去って行きました。医師たちがやって来て、キャシーの容体を非常に詳しく、しかしキャシーには全く理解不能な専門用語で、話し合い、部屋を出て行きました。夜には看護師がやって来て、手際よく機器の動作とその数値を確認し、ノートを取りました。見事なスキルでキャシーの肉体が必要としているケアをこなしました。しかし、キャシーの心を気遣ってくれる人は誰もいませんでした。

一人の男性看護師を除いては。

その看護師が来ると、まずキャシーの肩に手をおき、名前を呼びました。そして、身体を拭く、衣服を替える、などこれから行うことを説明しました。作業をしている間中、日常のちょっとした出来事を話してくれました。かと言って、そのために余計な時間をかけることはなく、他の看護師と同じような手際のよさで仕事をこなしました。

キャシーが集中治療室で過ごした3週間の間、彼女を人間として扱ったのは、その看護師ただ一人でした。

それから20年経った今でも、その看護師のことを、その時に彼が自分を人間として扱ってくれたことがどれだけ自分の救いになったかを、克明に覚えている、そうキャシーは語っています。

キャシーの治療に携わった医師や他の看護師に悪意があったわけではないでしょう。キャシーには意識がない、検査結果はそう示している、だから肉体の維持・回復に集中した、ということなのだと思います。キャシーに意識がないのは「医学的常識」だったのです。

しかし、その常識は誤りであったことがはっきりしつつあります。EEGやfMRIを使って、植物状態の患者の調査を進めてきた神経科学者のエイドリアン・オーウェンは「物事を認識する能力が皆無だと思われている植物状態の人の15～20％は、どんなかたちの外部刺激にもまったく応答しないにもかかわらず、完全に意識があることを、私たちは発見したのだ」と述べています。

さらに、オーウェンは、そのような検査をもってしても意識の存在が確認できなかった患者ファンが奇跡的に回復し、しかも検査の時の様子まで克明に語る姿を目の当たりにして、「完全に植物状態に見えても、間違いなく意識があり、人生を最も微細なことにいたるまで経験している患者がいて、誰一人それに気づいていないことがありうるのだ」とまで言っています。(76)

現在の行動主義心理学者たち

過去生記憶やミディアム現象、臨死体験といった肉体を超えた意識の存在を示唆する現象の存在を否定する科学者たちは、かつての行動主義心理学者たちが犯した過ちを繰り返しているのではないか、筆者にはそんなふうに思えてなりません。

行動主義心理学者たちは教義（学説）上の理由から「心」や「愛」の存在を否定、あるいは無視しました。

同じように、生体反応を手掛かりに意識の存在を確認してきた医師たちは、その手法では捉えきれない意識を無視してきました。オーウェンが用いた新しい技術はそのような悲劇を15～20％ほど減らしましたが、ファンの事例が示すように、残りの80～85％の意識は無視され、当事者は非常な苦しみを味わっているのかも知れません。

かつて無視・否定された「心」や「愛」のように、あるいは現在も気づかれずにいるかも知れない「意識」のように、肉体を超えた「心」あるいは「魂」が存在する可能性が無視・否定されることで、多くの人が傷ついています。

過去生記憶を口にしたことで、親から、家族から、友達から、先生から、叱責されたり、嘲笑されて傷ついている子がいます。助けを求めたカウンセラーに、過去生の記憶と言っても取り合ってもらえず、悲嘆にくれる人、あるいは怒りを覚える人がいます。

生まれ変わりがあろうとなかろうと、過去生記憶を語る人が相当数存在しているのは動かしがたい事実です。そして、その方達にとって、過去生記憶は日常の記憶と同じくらいに、あるいは場合によってはそれ以上にリアルなものなのです。そんな方々の存在を多くの人に知ってほしいと思います。

物質主義的科学からの脱却を訴えるマニフェスト

２０１４年、物質中心主義の科学から脱した新しい科学を目指そうという声明（マニフェスト）、脱物質主義科学宣言（The Manifesto for a Post-Materialist Science）が出されました。中心となったのは、肉体を超えた心（意識）の存在の研究を主導してきたアリゾナ大学の心理学者ゲイリー・シュワルツを中心としたグループで、訴えの内容は次の通りでした。

・現状の本流科学は、古典的物理学と密接に関連する物質主義を基礎としている。また、意識（精神）は脳活動に還元されるとする還元主義に基づいている。

・上記の立場は19世紀には「科学的物質主義」と言うべきドグマとなり、20世紀には科学者・研究者の多くがこのドグマの中で活動に勤しむようになった。

・このドグマと技術の発展により、自然の理解だけでなく、自然を制御し操ることが相当程度可能になった。

・しかし、このドグマは科学の研究対象を極端に狭め、意識や霊性の研究の発展を著しく阻害した。人間の経験の主観的な部分は無視され、人間とは何か、世界の中でどのような位置を占める存在なのか、という点については、歪曲され、矮小化された形でしか理解されない状況となった。

・科学とは本来、ドグマに囚われない開かれた心で、観察や実験、理論的説明を通して人間を含む自然を理解しようとする試みであり、科学は物質主義と同義ではないし、特定の信念、ドグマ、イデオロギーと結びついてはならない。

・物理学の世界では、19世紀末に古典的物理学では説明できない現象が発見され、1920年代～1930年代に量子物理学が発展し、原子や亜原子粒子は特定の時間に特定の場所に存在するとは確定的に言えないような非物質性を持ち、しかも観察者が存在のあり方に影響を与えることが明らかになった。つまり、物理的世界は現実の全てではなく、意識についての考察抜きには現実の理解は望めない。

・意識のあり方が脳を含む肉体に影響を与えることが明らかになっている。

・我々には五感によらない知覚能力（サイ能力）があることや我々の意識が遠隔で物質や生体に影響を与えうることが明らかになっている。

・医学的に死亡した状態においても意識は活動しうることが臨死体験によって示されている。

・有能なミディアム（霊媒）は本人が知らないはずの故人に関する正確な情報を入手できることが、統制された実験室での研究を通して示されており、意識は肉体の死後も存続することが示唆されている。

・物質主義を信奉する科学者はこれらのデータを無視するが、それは非科学的な態度である。

・サイ能力や臨死体験、ミディアム現象が「特異」に見えるのは、物質主義的科学の枠組みにおいてであるに過ぎない。

・さらに、物質主義では、どのようにして脳が意識を生み出しているのかについても説明することができない。

・脱物質主義的科学のパラダイムは次のような立場に立つ。

　a. 意識が基盤であり、物質が意識を生み出すことはなく、また意識をより根源的なものに還元することもできない。

　b. 意識と肉体の間には深い相互作用がある。

　c. 意識は空間を超えて物質世界に影響を与えうる。

　d. 意識には境界はなく、個々の意識はより大きな「統一意識」の一部であるように思われる。

　e. 臨死体験のデータは、脳は精神活動の受信機のような役割を果たしており、脳が意識を生み出しているのではないことを示す。また、ミディアム現象のデータは、意識が死後も存続することを示している。

f. 科学者は霊性や霊的存在の研究に尻込みするべきではない。なぜなら、それらは人間存在の中核をなしているからである。

・脱物質主義的科学は、これまで得られた科学的知見を排除するのではなく、むしろそれらを含むより包括的な知見を得ようとするものである。

・脱物質主義的科学は現在の人間観を根本的に変え、我々に人間として、そして科学者として、尊厳と力を取り戻すことを可能にする。この新しいパラダイムは、慈悲の心、尊敬の念、平和といった肯定的な価値観を醸成する。また、我々と自然との深いつながりを強調することで、環境への意識を高め、生物圏の保全を促進する。さらに、この考えは、新しいものではなく、ここ４００年ほどの間、忘れ去られていたものに過ぎない。

・物質主義的科学から脱物質主義的科学への移行は、人間文明の進化にとって極めて重要であり、その重要性は天動説から地動説への移行より大きいものかも知れない。

このマニフェストに対して、瞬く間に、３００名を超える科学者・研究者が賛意を表明しました。

それは、心（意識）が肉体を超えた存在であることを示す豊富なデータが集まりつつあり、その分野の研究の必要性が共有されるようになってきているからです。

心（意識）が肉体とは独立した存在である可能性を示す学術研究

主要な学術論文データベースを使ってこれまでになされた研究の数を調査したある論文では、下の表に示すように、「臨死体験」「ミディアム（霊媒）現象」「生まれ変わり現象」など、人間の心（意識）が肉体からは独立した存在であることを示唆する現象を扱った論文が２０００近く発表されている、と報告されています[77]。

論文の種類	論文数	うち原著論文数
臨死体験	598	165
体外離脱体験	223	77
憑依現象	224	57
ミディアム（霊媒）現象	565	162
生まれ変わり現象 （過去生記憶［前世記憶］に関する現象）	244	82
臨終時の体験（いわゆる「お迎え現象」）	56	21
その他	44	17
合計	1954	581

変わりゆく潮流

1975年にレイモンド・ムーディが『ライフ・アフター・ライフ』(78)を出版すると、臨死体験は多くの人に認知されるようになりました。

そして、医師からの、あるいは家族や身近な人からの否定的な反応を恐れて口外できなかった体験者の多くがカミングアウトし、体験を語り合う、それを聞いた大勢の人たちが死に対するこれまでの認識を変えて行く、そんな大きな流れが加速しています。

現代医学の唯物的な人間観に固執していた医師自身が体験者となったことがきっかけで死後世界の「伝道師」となったエベン・アレグザンダーのような例も存在します。アレグザンダーは、自らの体験をつづった著書の中で次のように述べています(79)。

「こうした文献類は自分で体験する以前からもちろん存在していたのだったが、私はそれらに目を留めることすらしなかったのだ。読むことはおろか、手に取りもしなかった。要するに、何かが肉体の死を超えて生きながらえるという考え方の信憑性を、いっさい受け入れようとしてこなかったのである。私は親切だが疑り深い、骨の髄まで医師の典型というべき人間だった。その私が言うのだから間違いないが、疑り深く見えている人々の大多数は実際のところ、ほんとうの懐疑論者ではない。真に疑うのであれば、それを真剣に取り上げて吟味しなくてはならない。だが私は医師の多くと同じように、臨死体験について調べようともしてこなかった。そんなことは考えられないということを〝知っている〟つもりでいたのだった」

臨死体験が実際の体験なのか、脳が生み出した幻影なのかについては議論がなされているものの、体験そのものの存在や、その体験が多くの人にとって人生観を大きく変える重要な出来事であり、尊重されるべき出来事である、という事実については疑問を挟む余地はありません。

過去生記憶についても、同じような潮流が押し寄せているように思います。

・イアン・スティーブンソンらによる過去生研究が着実な成果を上げてきたこと。
・退行催眠によって多くの人が過去生を実際に「体験」しつつあること。
・（特に日本では）「胎内記憶」の名のもとに池川明氏が行ってきた研究が女性を中心に広く認知されるようになってきたこと。
・メディアの報道によって過去生記憶を語る子どもの姿を目にする機会が増えたこと。
・インターネットの発達により、その動画の共有や、過去生記憶を持つ者同士の交流が容易になったこと。

・「過去生記憶」の存在を意識することで、これまで気にも留めなかった子どもの発言に注意が向けられるようになり、結果的に身近に過去生記憶の存在を感じる人が増えたこと。
・映画『君の名は。』の主題歌の「前前前世」や『鬼滅の刃』のように、転生をテーマに含んだ作品が大ヒットし広く浸透したこと。
・（特に日本では）高齢化が進み多死社会を迎えるにあたり死に向き合わざるをえなくなった多くの人たちが、「死んだら終わり」ではない人間観を模索するようになったこと。（※経済産業省経済産業研究所上席研究員の藤和彦氏は、「生まれ変わり」の考えが多死社会を生き抜いていくための大きなヒントになる、と主張しています。[80]）
・死と正面から向き合う一つの方法として「生まれ変わり」を含む人間観の有効性が検証されつつあること。（※中でも加藤直哉医師の研究成果は注目に値します。[81]）

これらの一つ一つは小さな流れであったとしても、これらが集まって大きなうねりとなり、やがて人間観や世界観の大きな転換が起きる。その胎動が鳴り響き始めているのが現在である、筆者にはそのように感じられてなりません。

その大転換が筆者の存命中に実現しなかったとしても、次にこちらの世界にやって来る時には、「生まれ変わり」を前提とした人間観・世界観を基盤とし命の循環と調和を重視した、より優しい世界が広がっていることを願っています。

(73) Watson, John B. (1928) *Psychological Care of Infant and Child*. London: George Allen & Unwin.
(74) ベンジャミン・スポック、マイケル・B・ローゼンバーグ／高津忠夫、奥山和男監修／暮らしの手帖翻訳グループ訳（１９９７）『最新版スポック博士の育児書』東京：暮らしの手帳社。
(75) Hearts in Healthcare (2014) "Every ICU Nurse and Doctor Should Watch This Film." <https://www.youtube.com/watch?v=TFHP7WbICro>（２０２１年9月12日アクセス）
(76) エイドリアン・オーウェン／柴田裕之訳（２０１８）『生存する意識：植物状態の患者と対話する』東京：みすず書房。
(77) Daher, Jorge Cecilio, et al. (2017) "Research on Experiences Related to the Possibility of Consciousness Beyond Brain." *Journal of Nervous and Mental Diseases*, 205(1), 37-47.
(78) Moody, Raymond (1975) *Life After Life: The Investigation of a Phenomenon--Survival of Bodily Death. Atlanta*: Mockingbird Books.
(79) エベン・アレグザンダー／白川貴子訳（２０１３）『プルーフ・オブ・ヘヴン―脳神経外科医が見た死後の世界』東京：早川書房。
(80) 藤和彦（２０２０）『人は生まれ変わる―縄文の心でアフター・コロナを生きる―』東京：ベストブック。
(81) 加藤直哉（２０１９）『人は死んだらどうなるのか―死を学べば生き方が変わる―』東京：三和書籍。

あとがき

本書を執筆中の2021年9月のある日、某テレビ番組のインタビューを受けました。その中で本書で記した内容の一部についてお話ししましたが、インタビュアーの方が「こういうことを知っていれば、確かに死はこわいものではなくなりますね」と納得されていたのが印象的でした。

インタビューを受けた同じ日、ある大切な方を通して共通の知人の訃報に接しました。その際、「あのお姿でお会いできなくなったのは残念ですが、これからはお空から応援してくれますね」と答えたところ、「大門先生は、本当に死を悲しいもの、ととらえていらっしゃらないのですね」と感心されました。

筆者にとっても、肉体的な苦痛をもたらす可能性のある存在としての死はこわいものですし、死による大切な人との別れは辛く悲しいものです。

しかし、私たちの本質が肉体ではなく意識（魂）であること、意識は肉体という制約を超えて互いに繋がりあっていること、死後もその絆は続き、また互いに肉体を持った形で巡り会うこと、少なくともそう考える十分な根拠があると知っていることは、それを知らなかった頃と比べ、自分と自分を取り巻く世界を、より輝かしく、より愛しいものに感じさせてくれます。

本書を通して、その思いを共有してくださる方が一人でも増えてくれたなら、著者としてこんなに嬉しいことはありません。

本書の執筆に際しては、たくさんの方々にお世話になりました。

本書で紹介した研究分野を切り開き、確立してくださったイアン・スティーブンソン博士、筆者自身の研究・調査の様々な過程で支援・助言をくださったジム・タッカー博士、ブルース・グレイソン博士、ジェームズ・マトロック博士、エドワード・ケリー博士、ロス・ダンシース博士、フランク・パシューティ博士、スティーブン・ブラウディ博士、マイケル・サドス博士、ゲイリー・シュワルツ博士、ジュリー・ベイシェル博士、エベン・アレグザンダー博士、日本における調査・研究で大変お世話になった池川明先生、かがみ知加子先生、南山みどり先生、荻久保則男監督、羽生ゆきさん、羽生すみれさん、小久保秀之先生、河野貴美子先生、山本幹男先生、長堀優先生、吉福康郎先生、岡本聡先生、稲垣勝己先生、末武信宏先生、大槻麻衣子先生、カール・ベッカー先生、市川きみえ先生、市江雅芳先生、谷口智子先生、よしだひろこ先生、高橋徳先生、稲葉俊郎先生、武本昌三先生、柴田久美子さん、ＡＫＩＲＡさん、梁瀬均さん、北村澄江さん、土橋優子さん、五十嵐夕子さん、纐纈ひとみさん、また、お一人お一人のお名前をお挙げすることはできませんが、筆者のインタビューに快く応じてくださった皆様、筆者の講演やライブ、メールやＳＮＳでご質問やコメントをいただき、考察を深める機会を与えてくださった皆様に、心より感謝申し上げます。

出版のお声掛けをいただいた桜の花出版の山口春嶽会長と、原稿を吟味・整理していただいた藤井光洋氏をはじめとする編集部の皆様には、出版に至るまで大変お世話になりました。本当にありがとうございました。

最後に、いつもよき理解者でいてくれる妻と娘たちに感謝します。

令和三年十月　　大門正幸

著者紹介

大門正幸（おおかど　まさゆき）

1963年、三重県伊勢市生まれ。博士（Doctor Liberalium Artium、アムステルダム大学）。中部大学大学院国際人間学研究科・人間力創成総合教育センター教授、米国バージニア大学医学部客員教授、人体科学会理事、日本医療催眠学会理事、日本スピリチュアル医学協会顧問、元マサチューセッツ工科大学客員研究員。

幼少期、父親が買い与えてくれた本や図鑑に囲まれ、生き物や自然・人体・宇宙の不思議を解明し新たな知をもたらす「科学」に魅了されて育つ。唯物論者であった父親の影響もあり、家庭では魂や霊は「非科学的」であるとして話題に上ることすらなく、中学の頃には自身も「唯物論者」となっていた。長じてからも「輪廻転生」など無いと否定していた。しかし、長女の誕生に立ち会った際の言葉にできない程の感動により「人知を超えた大いなる存在」に気付かされる。さらに、親友の死、次女の語った過去生記憶、自身の調査研究や様々な体験を通して、肉体は消えても魂は存在し自分たちをいつも見守ってくれていることを実感し、そう思えることの大切さを痛感。爾来、専門である言語研究に携わる一方、「意識の死後存続」や「生まれ変わり」現象の研究を通して意識や心の問題の探求を続けてきた。生まれ変わりを科学的に研究する日本の第一人者である。

著書『なぜ人は生まれ、そして死ぬのか』（宝島社）、『スピリチュアリティの研究～異言の分析を通して』（風媒社、人体科学会湯浅賞奨励賞受賞）、『人は生まれ変われる。』（池川明氏との共著、ポプラ社）、『死んだらどうなるのかな？ そうだ、死んだ人に訊いてみよう』（アラレス）、『まま　さみしくないですか？ 旅立った娘からの手紙』（アラレス）など多数。映画『かみさまとのやくそく～胎内記憶を語る子どもたち～』（2016、荻久保則男監督）に出演。人間の意識に関する研究を通して明らかになった魂の世界や人生の意味・価値に関する作詞・作曲も行い、魂に寄り添う音楽活動も行っている。CD『生まれてきてくれてありがとう』、『みんなつながっている』、『応援団』リリース。

ホームページ　https://ohkado.net

「生まれ変わり」を科学する

―過去生記憶から紐解く「死」「輪廻転生」そして人生の真の意味―

2021 年 11 月 11 日　初版第 1 刷発行
2024 年 11 月 11 日　初版第 2 刷発行

著　者　大門 正幸

発行者　山口 春嶽

発行所　桜の花出版株式会社
〒 194-0021　東京都町田市中町 1-12-16-401
電話 042-785-4442

発売元　株式会社星雲社（共同出版社・流通責任出版社）
〒 112-0005　東京都文京区水道 1-3-30
電話 03-3868-3275

印刷・製本　株式会社シナノ

本書の内容の一部あるいは全部を無断で複写（コピー）することは、
著作権上認められている場合を除き、禁じられています。
万一、落丁、乱丁本がありましたらお取り替え致します。

©Ohkado Masayuki 2021 Printed in Japan

ISBN978-4-434-29667-3 C0011

好評発売中

科学者たち58人の神観

森上逍遥 著

2020年ノーベル物理学賞を受賞したロジャー・ペンローズは…

人に意識が有ること自体が、宇宙が存在する理由だと語る。また肉体の死に際しては、意識を物質の最小単位である素粒子よりも小さい物質と仮定し、心臓が止まると意識は脳より拡散し外に出ていくとする。そして情報（意識）は宇宙に留まるか、別の人間として転生すると考えている。

相対性理論で有名なアインシュタインはこう語る

―深遠な科学者で、自分自身の宗教的な感覚を持ち合わせない人はほとんどいないだろう

―科学の追求は、特別な種類の宗教的感覚へと導いていくのです

―私は、宇宙宗教の体験が、科学研究の最も強く最も高潔な原動力であることを強調する

天才科学者たちは神の存在を肯定する！

シュレーディンガー、ハイゼンベルク、プランク、ディラック、ファラデー、ピタゴラス、ガリレオ、ニュートン、プラトン、デカルト、スピノザ、ユング、湯川秀樹、チャーマーズ ほか

A5判並製本 394頁 1,800円+税

978-4-434-28464-9

＊電子書籍もあります。